gatos detectives

Primera edición: febrero de 2014

Maquetación: Endora disseny
Textos de Alessandro Gatti y Davide Morosinotto
Ilustraciones de Stefano Turconi

Título original italiano: *Chi ha rapito il re dei fornelli?*
Título original de la serie: *Misteri coi baffi*
Edición original publicada por Edizioni Piemme S.p.A.

Edición: David Monserrat
Coordinación editorial: Anna Pérez i Mir
Dirección editorial: Iolanda Batallé Prats

© 2013 Atlantyca Dreamfarm s.r.l., Itàlia
© 2014 Andrés Prieto por la traducción

International Rights © Atlantyca S.p.A., via Leopardi 8 - 20123 Milán - Italia
foreignrights@atlantyca.it - wwwatlantyca.com

Todos los nombres y caracteres de este libro son propiedad de Atlantyca Dreamfarm s.r.l. en su versión original. La traducción o adaptación de los nombres también son propiedad de Atlantyca S.p.A. Todos los derechos reservados.

La Galera, SAU Editorial
Josep Pla, 95 – 08019 Barcelona
www.editorial-lagalera.com lagalera@galeraeditorial.com
facebook.com/editoriallagalera twitter.com/editorialgalera

Impreso en Liberdúplex
Pol. ind. Torrentfondo
08791. Sant Llorenç d'Hortons

Depósito legal: B-26966-2013
Impreso en la UE
ISBN: 978-84-246-5099-5

Cualquier tipo de reproducción, distribución, comunicación pública o transformación de esta obra queda rigurosamente prohibida y estará sometida a las sanciones establecidas por la ley. El editor faculta al CEDRO (Centro Español de Derechos Reprográficos, www.cedro.org) para que autorice la fotocopia o el escaneo de algún fragmento a las personas que estén interesadas en ello.

Alessandro Gatti
Davide Morosinotto

¿QUIÉN HA SECUESTRADO AL REY DE LA COCINA?

Ilustraciones de
Stefano Turconi

Traducción de Andrés Prieto

laGalera

LOS PROTAGONISTAS

Mister Moonlight

Es el jefe de los gatos detectives. Astuto y audaz, ¡tiene una intuición excepcional!

Josephine

Elegante y sofisticada, enamora a todos los gatos de París.

Ponpon

El pequeño del grupo.
Es tozudo y algo torpe,
¡siempre se mete
en líos!

Dodó el Marsellés

Es un gato vagabundo,
sarnoso y pícaro, que
conoce todos los secretos
de los bajos fondos.

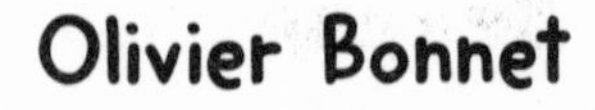

Olivier Bonnet

Artista y soñador, es el «amolimentador» de Mister Moonlight. No es tan espabilado como su gato, pero es amable y generoso con los felinos de la ciudad.

Luc Raté

Es un ratón de campo pequeño y achaparrado. Educado y servicial, es el ayudante oficial de Mister Moonlight.

Tenardier

Fugado del zoo cuando todavía era una cría, es el rey de las alcantarillas de la ciudad. ¡Lo sabe todo el mundo!

Inspector Rampier

Conocido en todo París, tiene un par de bigotillos que se le erizan cada vez que ve un gato. Es huraño y gruñón, ¡y siempre se equivoca al resolver sus casos!

Cauchemar

El bulldog de Rampier. Es muy grande, pero en realidad es bastante cretino. ¡Está dispuesto a hacer lo que sea para capturar a los gatos detectives!

Gatomas

El gato ladrón más famoso de París. ¡Es tan astuto, ágil y listo que es imposible atraparlo!

Capítulo 1

Una cita secreta

¡Ah, París! La ciudad de la Luz, de la Torre Eiffel y de los restaurantes a la orilla del Sena. De las damas que pasean con sombrillas de encajes y blondas. Y, sobre todo, la ciudad de los gatos.

En el barrio de Montmartre, en el número 12 de la calle Victor Massé, había un pequeño edificio, alto y estrecho, con una puertecita roja de madera desconchada.

En su último piso había una amplia buhardilla con ventanas, desde las cuales se podían admirar todos los tejados de París, o casi

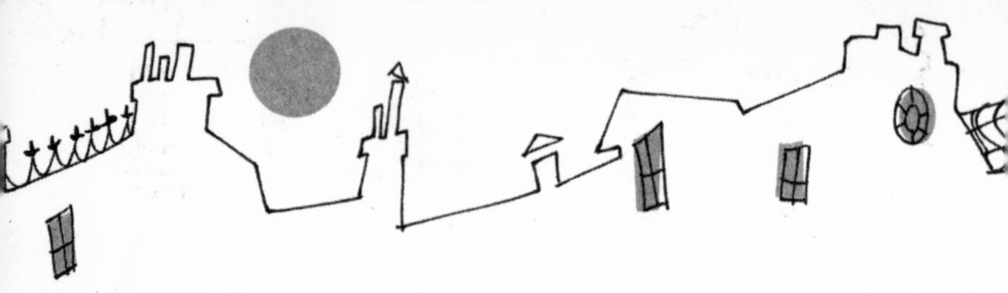

todos. Allí, en el alféizar de la ventana, encima de un blando cojín de terciopelo negro, yacía enroscado sobre sí mismo un gato negro. En realidad no era completamente negro: tenía tres manchas blancas, una en la punta de la cola, otra en un ojo y la tercera en la pata delantera izquierda. Se llamaba Mister Moonlight (que significa «luz de luna» en inglés, porque era un gato americano).

En aquel momento, entre las patas del minino se acurrucaba un ratón de campo de color café con leche, que llevaba (¡vete a saber tú por qué!) pajarita. El ratón se llamaba Luc Raté y...

«¡Ya sabemos lo que pasa cuando un ratón cae en las zarpas de un gato negro!», me diréis. «Un momento –os respondo yo–. Esta vez no es como os pensáis.»

–Listo, señor –murmuró Luc Raté, levan-

tando la cabecita y dejando la lima–. Ya tiene las uñas bien afiladas.

Mister Moonlight asintió distraído y levantó la pata, revisando sus zarpas. Estas se encontraban afiladas como cuchillos.

–Excelente, Raté –comentó–. Un trabajo muy bien hecho, amigo mío.

El ratón se sonrojó y los pelos de su bigote temblaron ligeramente.

–Muy amable, señor.

–Ya puedes marcharte. Creo que haré una siesta. Pero no te olvides de despertarme media hora antes de que se ponga el sol: tengo una cita muy importante esta tarde.

Luc Raté asintió. Hacía muchos años que era el mayordomo de Mister Moonlight, lo había acompañado en los cruceros que surcaban el océano y después se había ido a vivir con él a aquella vieja buhardilla.

Ahora ya conocía perfectamente las costumbres de su amo: sabía, entonces, que era miércoles y que, como cada miércoles, Mister Moonlight saldría a media tarde y volvería solo a altas horas de la noche. Pero nunca le decía adónde iba o qué hacía: a veces se comportaba como un gato muy misterioso. Y, en el fondo, a Luc Raté ya le iba bien: ¿qué había mejor que poder disponer de una noche libre para pasarla en compañía de una corteza de queso bien crujiente?

El ratón corrió por el alféizar, saltó al suelo de la buhardilla y se metió debajo del sofá para,

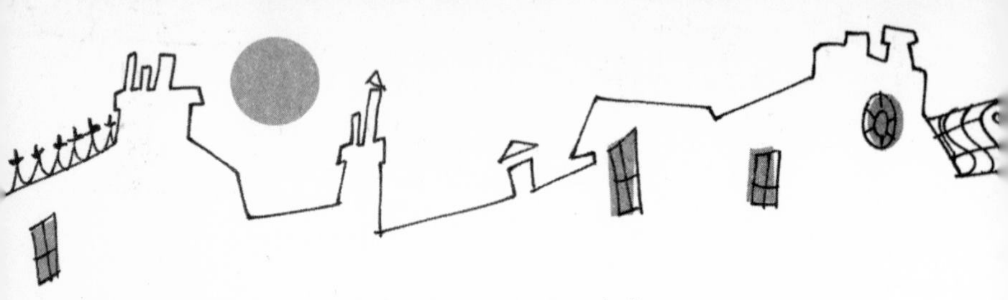

de inmediato, desaparecer por el diminuto agujero de la pared que era, en efecto, su ratonera.

Mister Moonlight, en cambio, continuó encima del cojín admirando los tejados de París. Aquella vista le encantaba: observándola con atención se podían descubrir un montón de cosas interesantes. Por ejemplo, que François Pigeon, el palomo mensajero, se había vuelto a enfadar con su novia Valentine Colombine, y que ella le había echado del nido. Aquellos dos estaban siempre como el perro y el gato, pero después hacían las paces; en el fondo se querían mucho.

–Moonlight –gruñó una voz profunda y algo estridente–. Moonlight, ¿dónde estás?

La voz no había hablado en mininés (es decir, la lengua de los gatos), sino en francés. Esto era bastante normal, ya que los humanos eran absolutamente negados para las lenguas

extranjeras. A diferencia de los gatos: Moonlight, durante sus largos viajes por el mar, había aprendido diversas lenguas de los humanos, aunque nunca las usaba en presencia de estos. ¡Imaginad la cara que pondrían si supiesen que los gatos entendían su cháchara (y que, casi siempre, se reían de ellos)!

–Moonlight, ¿dónde estáaas...? ¡Aquí! –exclamó el señor Olivier Bonnet, acercándose a la ventana–. ¿Por qué nunca respondes cuando te llamo?

Bonnet era un señor de mediana edad, con un bigotazo engominado y perilla. Tenía una considerable barriga, las mejillas redondas como manzanas maduras y las puntas de los dedos siempre manchadas de pintura, cosa lógica teniendo en cuenta que era pintor o, como él decía, «artista».

–¡Mira lo que te he traído, Moonlight! Una sorpresita...

Con un gesto de prestidigitador, Olivier se sacó del bolsillo del chaleco una lata dorada, cogió un abrelatas de un cajón y se dispuso a destaparla.

No fue fácil. Después de un pequeño concierto de ums, ¡ups!, ¡uys! y ¡carambas!, finalmente

el pintor pudo abrirla y por el aire se esparció un delicioso olorcillo. Moonlight lo habría reconocido con los ojos cerrados: salmón del Atlántico en aceite. No tan apreciado como el salmón real del Pacífico, ¡pero igualmente para relamerse los bigotes!

–Había pensado en hacerte un regalito –dijo Bonnet, mirando el pescado enlatado–. Últimamente había descuidado un poco tu alimentación... Solo te daba sobras... Pero desde que robaron mis cuadros de la galería del señor Prunier...

Mister Moonlight maulló y se puso a ronronear (para alegrar al pobre Bonnet). El pintor era un buen hombre, de espíritu noble, pero también muy, muy ingenuo.

Así, no se había dado cuenta de que el señor Prunier, el propietario de la galería adonde llevaba sus obras para venderlas, era en realidad

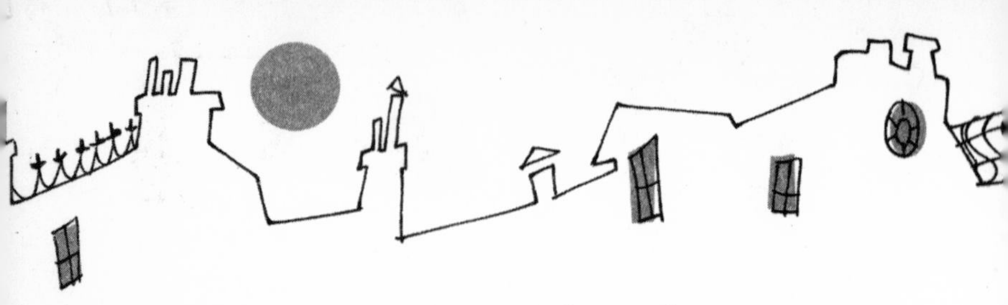

un mangante que se inventaba cualquier excusa para no pagarle nunca un céntimo: la última vez le había contado a Bonnet que unos ladrones habían robado los cuadros, aunque en realidad él se los había vendido a un rico coleccionista quedándose con todos los beneficios.

Mister Moonlight meneó nerviosamente la cola pensando en aquel sinvergüenza de Prunier, bajó de la ventana con un saltito felino y siguió a su amigo pintor por el salón hasta la cocina, donde estaba el delicioso manjar.

–Todo tuyo –dijo el pintor, satisfecho–. Que aproveche, amigo mío.

Moonlight se acercó a la comida, la olió y... apenas probó un poquito de salmón.

–¿Qué pasa? ¿Por qué no te lo comes? ¿Es que no tienes hambre?

–¡Miau! –contestó Mister Moonlight, obviamente en mininés.

Era una lástima que el pintor no entendiese ni una palabra del lenguaje felino, porque el gatito estaba intentando explicarle que era miércoles y que, como cada miércoles, tenía una cita muy importante y no tenía tiempo de cenar.

Moonlight, entonces, se frotó contra los tobillos de Bonnet y se fue trotando alegremente.

Un salto al respaldo del sofá, otro al alféizar, un empujón con la pata a la ventana ajustada, un paseíto por la cornisa y, en un santiamén, el gato se había perdido entre los tejados de Montmartre.

Olivier Bonnet no podía entender qué pasaba, pero Mister Moonlight llegaba tarde. Obviamente, no consultaba la hora en un reloj, pero su instinto felino le decía que eran exactamente las seis y media y, en teoría, tenía que darse prisa. Pero esforzarse mucho no era su estilo, de manera que el gato continuó trotando tranquilamente por la acera, deslizándose entre las piernas de los peatones y disfrutando del alegre bullicio del barrio.

En el fondo, llegar un poco tarde tampoco suponía ningún problema: Moonlight había

quedado con una gatita que seguramente le haría esperar.

Dicho y hecho; cuando el minino llegó delante del Élysée Montmartre, Josephine todavía no había llegado.

Moonlight dio un salto y se tumbó enroscado encima de un buzón con la tapa esmaltada, muy cómodo y, sobre todo, alejado del alboroto de la calle.

Sí, porque el Élysée Montmartre era una de las salas de conciertos más famosas de la ciudad, y aquella era una velada importante. En la imponente entrada del teatro se amontonaban los fotógrafos, con sus enormes aparatos de madera apoyados en caballetes. Y también había allí periodistas con sus cuadernos de notas, damas enjoyadas y hombres ataviados con sombreros de copa que ya entraban en la sala para ver el espectáculo.

Entonces, un gran automóvil negro se abrió paso entre la multitud a bocinazos y se detuvo a un paso de Mister Moonlight. El chófer se apresuró a abrir la puertecita y del asiento trasero salió una gatita... ¡una gatita preciosa, para ser exactos! Era una siamesa de pelo suave y brillante.

Mister Moonlight se acercó a la recién llegada con sus movimientos más elegantes y solemnes.

–¡Josephine, querida, estás espléndida, como siempre! –maulló.

La gatita inclinó la cabeza para ocultar una sonrisa.

–Espero no llegar demasiado tarde... Mi amalimentadora no acaba nunca de probarse vestidos y joyas...

Con una pata, Josephine señaló a la dama que había bajado del coche justo después de

ella y que se dirigía al teatro entre los aplausos de la multitud. Josephine vivía con una de las actrices más famosas y admiradas de todo París.

La gatita y Moonlight se alejaron de la multitud en busca de un lugar más tranquilo.

–¿Dónde está Dodó? –preguntó Josephine en un momento dado–. ¿Todavía no ha llegado?

–¡Ay, ese desastre! –bufó Mister Moonlight–. Ya sabes cómo son los gatos vagabundos... Groseros, informales, siempre dando vueltas y metiéndose en líos...

–¡Ten cuidado con lo que maúllas, amigo! –murmuró una voz felina detrás de un cubo de basura.

Un momento después, delante de ellos apareció un gatazo con la cabeza pelada y que era todo huesos. Tenía la oreja izquierda medio arrancada a mordiscos y el ojo derecho atravesado de lado a lado por una profunda cicatriz.

Mister Moonlight no le había preguntado nunca cómo se la había hecho... sobre todo porque sabía que para obtener una respuesta hubiera tenido que tragarse alguna aburrida historia de peleas entre bandas felinas del puerto de Marsella. Ah, sí: ¡a Dodó el Marsellés le *encantaba* presumir de sus cicatrices de batalla!

–¡Por fin, Dodó! –resopló Moonlight–. Estábamos a punto de marcharnos sin ti.

El gato vagabundo dio un amable beso en la patita a Josephine, demostrando que un vagabundo también puede conocer las buenas maneras.

–¡Perdonadme por el retraso, pero tenía razones de peso! –exclamó Dodó, adentrándose con sus dos amigos por las callejuelas de Montmartre–. El Esmirriado y yo hemos recibido un cable del Espabilado, que es un tuerto duro y listo del barrio de Belleville...

Perdonadme si a veces cuesta un poco entender a Dodó... Esto se debe a que cuando cuenta sus aventuras utiliza la lengua de los gatos de los bajos fondos de Marsella, y no es fácil saber qué dice.

Esta vez, por ejemplo, les contaba que aquella tarde había decidido dar un «golpe» en la tienda del carnicero Armand, el rey de las costillas en París.

El Marsellés y su socio Esmirriado, otro gato vagabundo y magro como el hambre, se habían introducido a escondidas en la parte de atrás de la carnicería y se habían llevado un montón de suculentas salchichas... Lástima que Armand, es decir, el carnicero en persona, los había atrapado in fraganti y los había perseguido con un enorme cuchillo afilado.

–¡Un poco más y me dejo allí la otra oreja! –concluyó Dodó, meneando la cola (que era muy delgada y estaba completamente pelada).

Josephine rio divertida, pero Moonlight replicó:

–Es evidente que eres un glotón como no hay otro, Dodó. ¿Qué necesidad había de asaltar a Armand justamente hoy? ¿Te habías olvidado de que es miércoles?

–¿De verdad? –preguntó Dodó, haciéndose el tonto–. ¡Marramiau, me había olvidado!

Pensaba que estábamos a jueves o a sábado...

Como cada miércoles, Moonlight y sus amigos tenían una cita secreta y muy, muy especial. En efecto, aquel era el día en que La Clef d'Or, el restaurante más famoso de París, cerraba. El chef, el gran Pierre Pâté, era un maestro de los guisos y el señor de las sopas, además del indiscutible rey de los fogones.

Cada miércoles por la mañana, Pierre se dedicaba a descansar, y por la tarde se encerraba en la cocina para experimentar con nuevos e imaginativos platos. Y como necesitaba probadores profesionales para que juzgaran sus creaciones, siempre se dirigía a los paladares más refinados de París. Es decir, a los de Mister Moonlight, Josephine y Dodó.

Nuestros amigos se dirigieron hacia la basílica del Sagrado Corazón, con sus cúpulas blancas. Se deslizaron entre los peatones,

esquivaron a algunos pintores que trabajaban en la acera para conseguir algunas monedas y finalmente se metieron en un estrecho callejón sin salida. En el fondo había una puerta de madera de color verde esmeralda, precedida por tres grandes escalones de piedra. Encima se balanceaba un elegante cartel con una gran llave dorada.

Normalmente, el cocinero Pierre dejaba que sus platos se enfriaran en los escalones, de manera que los gatos pudieran saborearlos con calma. Él se escondía detrás de la puerta ajustada y los observaba anotando sus reacciones en su cuaderno de notas.

Había sido precisamente Mister Moonlight, unos meses antes, el que había ronroneado de placer delante del pollo *à la marveille*, el plato que posteriormente haría ganar a Pierre los premios de cocina más prestigiosos del Viejo

Continente. Y el gato estaba muy orgulloso de este hecho.

–Qué extraño –comentó Dodó, acercándose a la puerta del restaurante–. ¿Estáis seguros de que estamos a miércoles?

–¡Claro que sí! –dijo Moonlight–. ¿Por qué?

Josephine le respondió indicando los escalones de delante de la puerta de La Clef d'Or, mientras hacía un leve gesto con la cabeza.

–Porque hoy no hay ningún bol –observó la gata–. Ni siquiera un platito.

Los tres amigos se acercaron con cautela hasta la puerta del restaurante. Parecía cerrada, y los escalones estaban desoladoramente vacíos. ¡No había ni una triste espina de pescado!

–*Muy* extraño –maulló Moonlight–. Pierre siempre suele ser puntual... ¿Y si otro gato se lo ha zampado todo antes que llegáramos nosotros?

Dodó subió los tres escalones de piedra y apoyó la cabeza contra la puerta.

–No está cerrada –afirmó–. Solo está ajustada.

Empujó con suavidad y la puerta se abrió con un siniestro chirrido.

Josephine, que era una gatita refinada pero también muy valiente, fue la primera en cruzar la abertura.

¡Sorpresa en la cocina!

La cocina del restaurante era un paraíso para los gourmets.

La habitación era amplia, con baldosas blancas y algunas fotos colgadas en las paredes (normalmente, del cocinero Pierre recibiendo algún importante premio gastronómico). En medio de aquel espacio destacaba una estufa de hierro forjado, con al menos veinte fogones donde hervían ollas y cazuelas de tamaños diversos. Por debajo de sus tapas salían unos hilillos de humo y una sinfonía de apetitosos olorcillos. Encima de los fogones, en cambio,

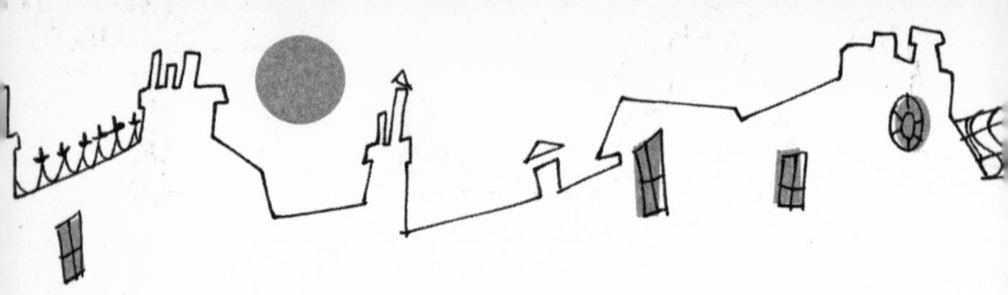

colgaban perfectamente ordenadas calderas y sartenes, parrillas, cucharones, sacacorchos, cuchillos para trinchar, botes, peladores de patatas...

–Qué maravilla –murmuró Dodó, que nunca había entrado en el reino del gran chef.

En el fondo de la cocina había una buena despensa, llena hasta arriba de jamones ibéricos, quesos franceses, vinos italianos, ristras de ajos, cebollas doradas, manojos de perejil, cilantro y estragón, orégano y pimienta rosa, nuez moscada y canela.

–¡Es un festín para los ojos! –comentó Moonlight, inspirado—. ¡Y qué olores! Esnif, esnif...

Pero de repente se detuvo.

Su delicadísima nariz felina acababa de percibir en el aire una nota que desafinaba. Una cosa extraña... muy poco agradable...

–¡Marramiau! ¿No notáis que algo desentona? –preguntó.

–Bah, yo únicamente capto un olorcillo delicioso –replicó Dodó–. Me parece que te lo estás inventando para impresionar a Josephine –añadió en voz baja, para evitar que la gatita los oyese.

–No, no, de verdad, es un hedor que lo estropea todo. Pero soy incapaz de saber de dónde... –continuó Moonlight.

–¿Queréis dejarlo? –los riñó Josephine–. ¡No estamos aquí para jugar!

Los gatos bajaron las orejas. La siamesa tenía toda la razón del mundo: en la cocina de La Clef d'Or había algo que no cuadraba. Las luces estaban encendidas, las cazuelas en el fuego... pero Pierre Pâté no estaba allí.

–¿Miau? –preguntó Dodó en el silencio de la cocina.

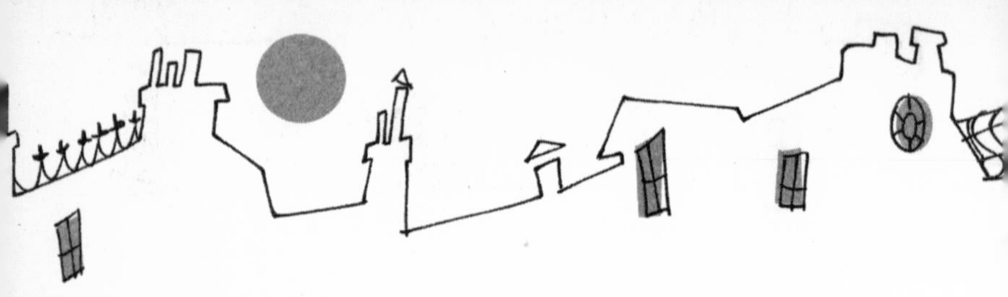

Pero nadie respondió.

–Ummm, miau... –comentó Moonlight, entrecerrando los ojos–. Mi instinto felino me dice que se trata de un crimen. ¡Mirad esas huellas!

Con la punta de la cola señaló dos franjas rojizas que manchaban el suelo, que por otro lado estaba muy limpio.

–¡Oh, por todos mis bigotes! –sopló Josephine–. Parecen talmente manchas de... ¿Creéis que puede ser...?

–No, no –la tranquilizó enseguida Moonlight–. Solo es salsa de tomate, mi nariz no se equivoca. Pero nuestro Pierre nunca hubiera dejado una mancha como esta en su cocina sin limpiarla de inmediato. ¡NUNCA!

De hecho, Pierre Pâté, como todos los grandes chefs, estaba realmente obsesionado con la limpieza.

–Además –observó Dodó–, jamás se habría ido de aquí dejándose algo en el fuego, arriesgándose a quemarlo todo.

Los tres gatos se miraron con preocupación y, justo después, Josephine murmuró:

–Debe de haberle pasado algo... ¡No puede haber desaparecido así como así! Quizá se ha visto obligado a marcharse a algún sitio... ¡o puede que lo hayan... *secuestrado*!

Aquella horrible posibilidad les heló los bigotes a los tres. Porque Pierre siempre era amable con todos y los gatos lo consideraban un poco como un segundo amolimentador.

–Es cierto... Tenéis razón –confirmó una voz.

Pero ¿de dónde provenía?

Era como un hilo de voz, casi imperceptible, que había hablado en mininés. Intrigado, Moonlight miró a su alrededor: ¡¿cómo?! Aquella vocecita procedía de un... ¡cajón!

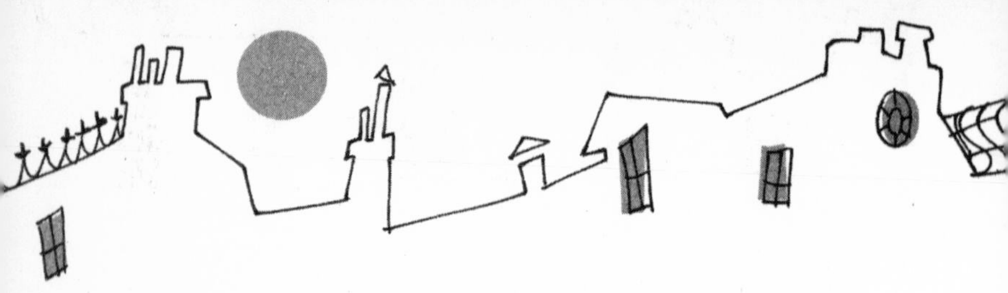

El gato lo abrió con el hocico y se encontró de morros con... un gato. Bien, con un gatito de piel atigrada y un aire de pillo callejero.

–¡Oooh, qué mono! –exclamó Josephine–. ¿Y tú quién eres, pequeñín?

El minino saltó del cajón y comenzó a limpiarse el hocico con la patita para hacerse el importante. Sin embargo, se veía a la legua que estaba muy asustado.

–Hola... Yo... me llamo Ponpon –se presentó titubeando–. Hace algún tiempo que vivo aquí.

Dodó se plantó delante de su hocico, para olisquearlo mejor:

–¿Quieres decir que Pierre es tu amolimentador? Qué raro, nunca te habíamos visto por aquí...

–Porque vosotros siempre estáis en las escaleras... –replicó Ponpon, retrocediendo un pasito–. Lo sé porque os espío desde aquella ventanita de allá arriba. Yo, en cambio, vivo en la cocina haciendo compañía a Pierre. ¡Nosotros dos nos hemos hecho muy amigos! Pero ahora... ahora corre un grave peligro: ¡lo han secuestrado!

Como si se hubiera acordado en ese mismo momento de la tragedia, Ponpon comenzó a menear la cola a toda velocidad.

Estaba tan alterado que Moonlight y los

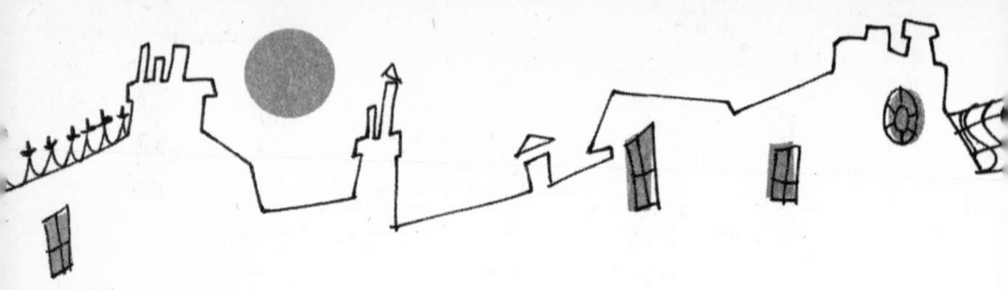

otros dos tuvieron que esperar un buen rato para que les contase todo con pelos y señales. Finalmente lo consiguieron y el minino empezó a relatar lo que había sucedido.

Aquella tarde, como cada miércoles, Ponpon se había quedado en la cocina con su amolimentador, que se divertía delante de los fogones haciendo sus experimentos. Sin embargo, de repente, más o menos una hora antes de que llegasen sus amigos, alguien había entrado por la puerta de atrás sin llamar. Eran dos hombres, que llevaban puesto un largo impermeable negro y un gran sombrero que les tapaba la cara.

Pierre había gritado, pero aquellos hombres se le habían tirado encima, le habían tapado la boca con un pañuelo y se lo habían llevado a rastras. Un coche los esperaba fuera del restaurante: Ponpon había oído el ruido del motor,

pero no se había asomado a la ventana porque tenía mucho miedo.

–Miau y marramiau –comentó Moonlight–. Dos hombres, ¿eh? ¿Con impermeables? ¿Quién los habrá enviado?

Si querían salvar a Pierre, tenían que hallar una respuesta a esa pregunta: ¿quién había encargado a aquellos canallas que secuestrasen al famoso Pierre Pâté, el chef más célebre de toda Francia?

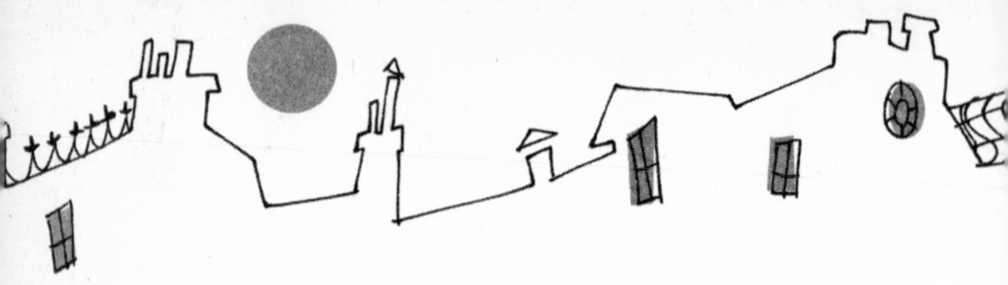

Moonlight, Dodó y Josephine se miraron entre sí y enseguida se pusieron a investigar. Dodó se apresuró a inspeccionar la despensa, Moonlight se metió debajo de los muebles y Josephine saltó encima de los fogones y olisqueó todos los rincones en busca de pistas.

Sin embargo, no encontraron nada extraño o insólito, aparte de aquellas manchas rojas en el suelo que los gatos habían visto al entrar.

–Esperad... –murmuró Moonlight desde debajo de una especie de cómoda–. Aquí hay algo...

El gato negro salió de debajo del mueble sujetando entre sus zarpas un pañuelo de seda. Era blanco, y en un ángulo tenía bordadas dos letras: «M. G.».

Después de haber examinado atentamente aquel delicado tejido, Moonlight preguntó:

–Ponpon, ¿tu amolimentador no tiene por

casualidad algún amigo, o más bien algún enemigo, con estas iniciales?

–Um, déjame pensar... Eme ge... –rumió el cachorro, meneando la cola—. ¡Claro! Naturalmente que hay alguien: ¡la baronesa Marion de Gaspardon! Una mujer muy gorda que siempre viste muy elegante...

Ponpon les contó que la baronesa era una de las clientas más asiduas del restaurante. Cenaba allí cada noche: llegaba en carroza, procedente de su villa de Versalles y siempre decía que Pierre Pâté era el mejor cocinero del mundo. Tanto lo pensaba que desde hacía un tiempo quería convencerlo para que cerrase el restaurante, se trasladase a su villa y cocinase en exclusiva para ella.

«¡Le pagaré muy bien! –insistía la baronesa–. Y además, un chef como usted solo es digno de paladares refinados como el mío. No

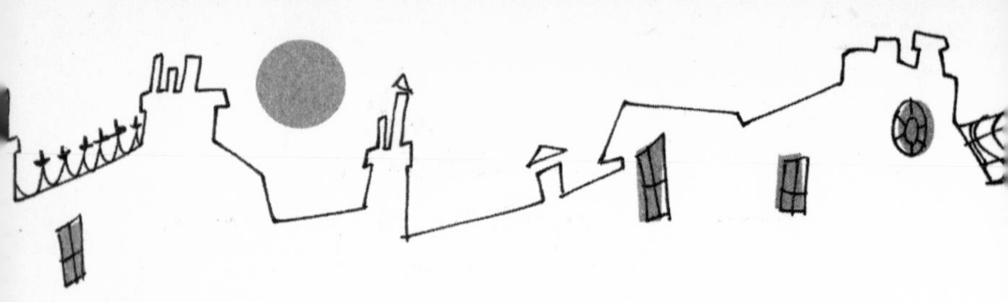

es casualidad que yo sea la mejor gourmet de Francia... ».

Pero Pierre Pâté defendía con firmeza su independencia y siempre había rechazado las ofertas de la baronesa.

Cuando Ponpon acabó su relato, Moonlight reflexionó durante un largo rato, desperezándose en el suelo de mármol. Todo encajaba: la baronesa se había cansado de insistir y tal vez había decidido secuestrar al cocinero y llevárselo en secreto a su villa. Podía haberle encargado el «trabajo» a dos hombres, quizá elegidos entre sus criados.

–¿Y ahora qué hacemos? –preguntó Josephine.

Moonlight bostezó:

–Se ha hecho muy tarde, creo que vale más la pena volver a casa y descansar. ¡Mañana entraremos en acción!

Capítulo 4

En la villa de la baronesa

A la mañana siguiente, Mister Moonlight se levantó tarde, como siempre, y lo primero que hizo fue lamerse el pelaje, hasta que le quedó más brillante y negro que nunca.

Entonces llamó a Luc Raté para que le preparase el desayuno.

–¿Qué deseará el señor? –preguntó el ratón–. ¿Pan seco mojado en leche? ¿O quizá le apetece más una corteza de queso enmohecido?

Moonlight sacó la lengua, disgustado:

–¿Queso enmohecido? ¡Yo no soy ningún roedor! No, no: tráeme el salmón de anoche, por

favor. Al final no cené y tengo mucha hambre... Ah, y tráeme también el diario de hoy.

Raté regresó poco después con el bol de Moonlight entre las patitas. Lo dejó delante del cojín en que el gato estaba cómodamente enroscado, salió a buen paso y volvió a aparecer, ahora con el diario.

Moonlight se zampó gustosamente el salmón, después sacó una uña fuera, abrió el diario y comenzó a hojear las páginas de sucesos de la ciudad.

No tardó demasiado en encontrar la noticia que buscaba: estaba en primera plana.

¡EL GRAN CHEF PIERRE PÂTÉ HA DESAPARECIDO!

Más abajo, el artículo decía: «¡La policía de París no se dejará atemorizar por el asesino de cocineros!».

¿Asesino de cocineros? Moonlight empezaba a no entender nada.

Pasando sus zarpas felinas por debajo de cada letra, continuó leyendo el artículo... ¡y entonces lo entendió todo! La policía había puesto la investigación en manos del inspector Rampier,

un hombrecillo escuálido y presumido con tan poca vista como un topo.

Como siempre, Rampier no había entendido absolutamente nada: a toda prisa se había presentado en la escena del crimen, había visto las marcas rojas en el suelo e inmediatamente había sacado sus conclusiones, sin comprobar siquiera si se trataba de sangre o de salsa de tomate. Y según su opinión de inspector chocho, el chef había sido asesinado.

–¡Oh, estás aquí, amigo mío! –exclamó Olivier Bonnet, todavía en pijama–. Pero ¿qué haces encima del diario de la mañana? ¡Me lo vas a arrugar!

El amolimentador le quitó a Moonlight el diario y él también se puso a leer la noticia de la desaparición del cocinero.

–«Rampier está convencido de que el culpable es uno de los pintores de Montmartre»

–leyó–. ¡Ah, vaya lata! Me juego algo a que ese camorrista vendrá a registrar mi estudio...

Naturalmente, porque el inspector Rampier odiaba a todos los artistas, y sobre todo a los pintores. ¡Y aún más a los pintores que vivían en Montmartre! Siempre los culpaba de todos los delitos que ocurrían en el barrio.

Como ya no tenía ninguna esperanza de recuperar el diario, Moonlight se estiró para desperezarse y de un ágil salto se plantó en el alféizar de la ventana entreabierta, empujó la contraventana con el hocico y, un momento después, ya caminaba por las cornisas de París.

Tenía una cita con sus amigos en la plaza de Tertre, el punto de encuentro de los artistas callejeros, donde los pintores mostraban sus obras para venderlas.

Los otros ya lo esperaban allí: estaban Dodó, que después del ayuno de la noche anterior

parecía más flaco de lo habitual, y la preciosa Josephine. Y también se encontraba el pequeño Ponpon, que se había unido al grupo de detectives. El gatito miraba a su alrededor con cautela, como si fuese un profesional, pero al menor ruido ya saltaba asustado, porque en realidad no estaba acostumbrado a verse en medio del bullicio del gran París.

–Ya estamos todos –comentó Moonlight, meneando la cola satisfecho–. Debemos darnos prisa en encontrar a Pierre Pâté, porque ese chapuzas del inspector Rampier está convencido de que han asesinado al cocinero... Y que el culpable es un pintor de Montmartre, ¡mira por dónde!

–¡Oh, marramiau! –exclamó Josephine, preocupada–. ¡Seguro que se centrará en tu pobrecillo amolimentador!

Moonlight asintió, serio.

–Será el primero de la lista de sospechosos, como si lo viera.

Después de aquel pensamiento se espabiló del todo.

–En primer lugar debemos encontrar a la baronesa Gaspardon. Ayer, Ponpon nos dijo que vive en Versalles... Es decir, muy lejos de aquí. ¿Cómo conseguiremos recorrer un camino tan largo?

Dodó estiró las patas y sacó las uñas con aire socarrón.

–Si me permitís, yo ya he pensado en ello –los informó–. Nosotros, los vagabundos, somos gente de mundo y sabemos movernos por la ciudad incluso mejor que los humanos.

Así, la noche antes, mientras los otros gatos dormían, Dodó había estado recorriendo las tabernas de mala muerte de París y había hecho algunas indagaciones. De este modo, había

descubierto que, cada mañana, el ayudante del lechero de la calle Norvins cargaba en su carro tres galones de nata fresca, dos moldes de queso cremoso y cuatro cajas de camembert, que luego transportaba hasta Versalles para llenar la despensa de la famélica baronesa.

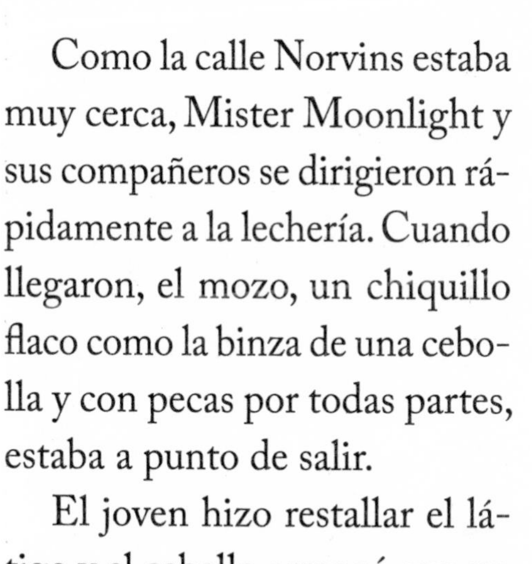

Como la calle Norvins estaba muy cerca, Mister Moonlight y sus compañeros se dirigieron rápidamente a la lechería. Cuando llegaron, el mozo, un chiquillo flaco como la binza de una cebolla y con pecas por todas partes, estaba a punto de salir.

El joven hizo restallar el látigo y el caballo arrancó con un trote suave. Aquel era el momento que los gatos esperaban: Moonlight se encogió sobre sus

patas traseras y, como si tuviese muelles, dio un gran salto y se agarró a un extremo del carro con las zarpas. Una vez allí, solo tuvo que trepar rápidamente al interior.

–¡Bravo, amigo mío! –lo felicitó Dodó, que como buen gato vagabundo estaba acostumbrado a ciertas acrobacias y se había subido al carro antes que él.

Josephine saltó con elegancia detrás de ellos, con Ponpon agarrado de su cogote.

Poco después, las casas de París dejaron paso a los árboles y las acequias de los campos de los alrededores. El carro se metió en una calle de tierra, cruzó una imponente verja de hierro y se detuvo ante una villa enorme y muy elegante.

–Ya hemos llegado –murmuró Moonlight–. Esta debe de ser la casa de los Gaspardon.

La villa estaba rodeada de un espléndido jardín, lleno de parterres, zarzas y árboles

frondosos. Unos porches altos rodeaban el parque, mientras la fachada era imponente como la de un palacio real.

Así que sacó la cabeza por la parte trasera del carro, el pequeño Ponpon puso unos ojos como platos: ¡jamás había visto una casa tan grande y lujosa!

Moonlight y los demás saltaron del carro un momento antes de que el mozo hiciera detenerse al caballo. Los gatos cruzaron el patio a toda velocidad y atravesaron la puerta de entrada, escurriéndose entre las piernas de una criada alta y robusta como una columna. Corrieron entre pasillos repletos de lujosas alfombras y subieron por una resbaladiza escalinata de mármol.

–¡Cuidado, que viene alguien! –avisó Moonlight, aguzando el oído.

Los cuatro felinos se escondieron debajo

de una cómoda de madera y vieron pasar los zapatos de charol del mayordomo.

Moonlight miró al hombre de arriba abajo: era un señor alto y seco como un palo de escoba, con la frente alta, y las cejas espesas y en punta.

Se detuvo delante de una puerta y llamó.

–¡Adelante!

Los gatos se miraron con complicidad: aquella debía de ser la voz de la dueña de la casa. Y efectivamente...

–¿Podemos empezar, baronesa? –preguntó el mayordomo, entrando en la habitación.

Desde el interior, la baronesa respondió:

–Claro. Haz pasar al cocinero.

Capítulo 5
La prueba del cocinero

Mister Moonlight se movió el primero, seguido de Dodó, Ponpon y Josephine.

Los gatos pasaron rápidamente frotando su pelaje contra la pared y Moonlight asomó la cabeza en el salón. Era un amplio comedor con una mesa muy larga que estaba puesta, unas servilletas de lino blanco y unos candelabros de plata dispersos por aquí y por allá.

Pero aunque la mesa era enorme, solo había un cubierto preparado. Sentada delante de él, había una señora muy gorda, tanto que en vez de una sola silla había tres, puestas la una al lado

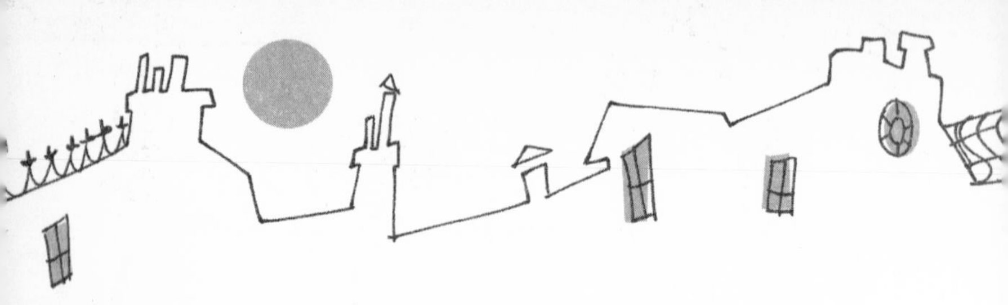

de la otra para que cupiera su enorme pompis.

–¡Es ella! –dijo débilmente Ponpon–. ¡La reconozco, es Madame Gaspardon!

Moonlight localizó enseguida un lugar seguro para todos detrás de un carrito de comida. Josephine acababa de esconder la cola tras el carrito cuando el mayordomo anunció:

–Baronesa, aquí está el cocinero.

Pero sorprendentemente...

–¡Eh! ¡Ese no es Pierre! –advirtió enseguida Ponpon.

Y, efectivamente, no era él.

Pierre Pâté era un jovencito alto, de pelo castaño y bigotes rizados hacia arriba. En cambio, el chef que acababa de entrar en el comedor era un señor de pelo tirando a rubio, bastante mayor que Pierre. El hombre se presentó a la baronesa con una gran bandeja de plata en sus manos e hizo una reverencia.

–¡Buenos días, barroneza! –saludó, con un fuerte acento alemán–. Me llamo Franz Kartoffelstein, y os he preparrado mi ezpecialidaz... ¡Würstel con moztaza y jengibre zobre un lecho de krauti con canela!

La baronesa Gaspardon frunció su nariz de patata, mientras el cocinero le ponía delante la bandeja de plata.

La aristócrata cogió un tenedor, cortó un trozo de würstel y lo probó en un silencio absoluto, con la boca cerrada formando unas arruguitas. Justo después se puso a gritar:

–¡No, no, NOOO! ¡Jamás había probado algo tan asqueroso! ¡Fuera de aquí ahora mismo!

Moonlight no acababa de entender qué pasaba. ¿Quién era aquel Franz? ¿Y por qué estaba allí... en vez de Pierre?

El pobre cocinero salió pies para qué os quiero del comedor, llevándose los restos de su

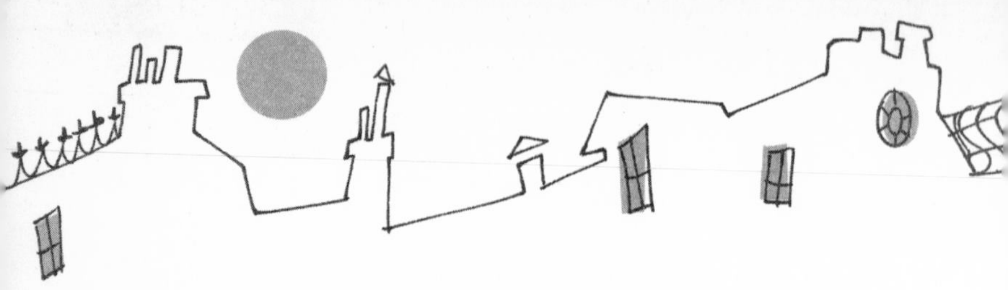

desafortunada salchicha. Unos segundos más tarde, por sorpresa, entró en la sala otro chef. Este tenía el pelo negro y un bigotazo muy espeso. Como ya habréis deducido, tampoco era Pierre Pâté.

–¡Buenos días! –exclamó el recién llegado–. Me llamo Mario Polpetta y os he cocinado unos suculentos macarrones con ajo, col y menta... ¡Una auténtica exquisitez!

Pocos instantes más tarde, Mario Polpetta huía a toda prisa del comedor mientras la baronesa le abroncaba con palabras muy poco amables sobre su col y su menta.

Justo después se presentó otro cocinero.

–¡Konichiuá! –anunció, avanzando por el salón a pasitos–. ¡Me llamo Ichiro Makimanji, y os he preparado un espléndido sushi de atún japonés!

La baronesa probó también aquel plato y, de

inmediato, sacó la lengua (aún llena de atún), horrorizada.

–Pero... pero... ¡si este atún está CRUDO!

–Evidentemente, señora –confirmó Ichiro con calma–. ¡El sushi es precisamente pescado crudo! ¡Es una especialidad japonesa!

–¡Pescado crudo! ¡Qué horror, qué ofensa! Oh, pobre de mí... –murmuró la baronesa, sacudiendo la cabeza con resignación.

Y un lagrimón apareció en sus ojos (que eran pequeñitos porque se hundían en aquellas mejillas tan llenas). Y después otro, y otro.

–Pero ¿qué pasa? –preguntó Josephine a sus amigos.

–No tengo ni idea –contestó Moonlight–. Pero son lágrimas, y normalmente los humanos lloran cuando están tristes.

Bien, más que triste, la baronesa parecía absolutamente desesperada.

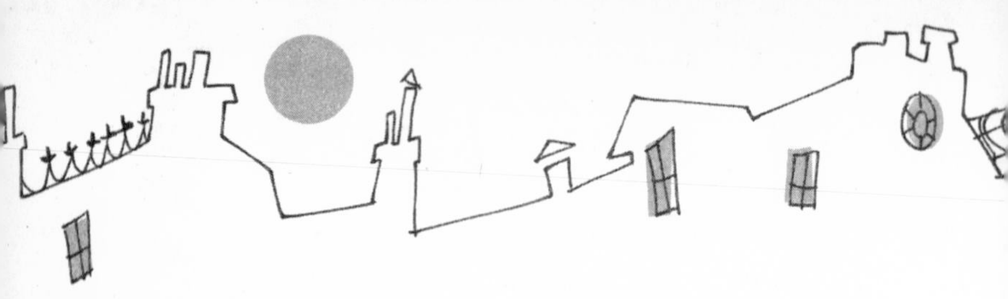

–¡Oh, qué haré, qué haré! –lloriqueaba–. ¡Estoy acabada!

Los gatos, juntos detrás del carrito de la comida, no entendían nada. ¿Por qué estaba tan desesperada la baronesa? De acuerdo, los platos de aquellos cocineros no le gustaban, pero tampoco era necesario convertir eso en una tragedia. Y, sobre todo, ¿qué tenía que ver Pierre Pâté con toda aquella comedia?

Fue entonces cuando el mayordomo volvió a entrar en el comedor. Le hizo una larga reverencia, consultó una lista y anunció con solemnidad:

–Baronesa, ¿hago pasar al siguiente cocinero? Es Joe Bison, el rey de los bistecs y de las hamburguesas, venido directamente de Texas. Después tenemos a Jan Van Faronen, el mago de los arenques, y justo después...

–¡Basta, basta, es inútil! –lo interrumpió la gigantesca Gaspardon–. ¡Nunca encontraré un cocinero tan bueno como Pierre Pâté, jamás! Su desaparición es una tragedia, tendré que resignarme a platos vulgares durante el resto de mi vida. ¡Mi carrera de gourmet se ha acabado! ¡Buaaah!

Y se puso a llorar como una magdalena.

Moonlight meneó la cola, como hacía siempre que, de golpe y porrazo, entendía algo.

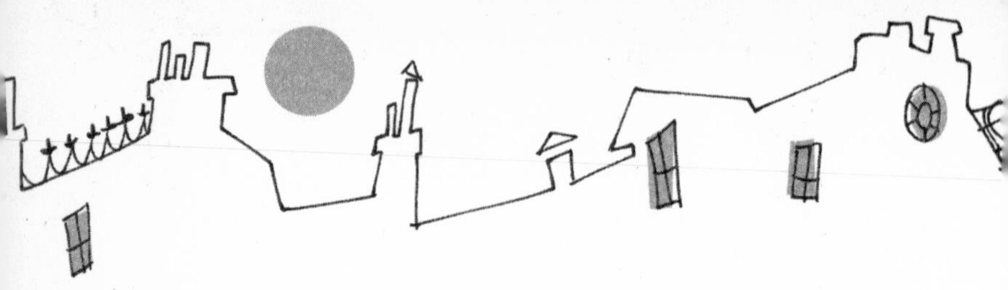

Ahora lo veía con total claridad: la baronesa había leído la noticia de la desaparición de Pierre y se había puesto a buscar un nuevo chef personal. Así, había convocado a los mejores cocineros del mundo... Pero como Pierre no había ninguno, y la baronesa parecía muy exigente.

–Creo que aquí perdemos el tiempo –comentó Moonlight–. La Gaspardon no tiene nada que ver con la desaparición de Pierre Pâté... ¡El culpable tiene que estar en alguna otra parte!

–¡EXACTO! –coincidió Ponpon.

Pero maulló un poco demasiado fuerte.

El mayordomo y la baronesa interrumpieron su conversación y se volvieron de repente hacia el carrito. Allí vieron una cola negra que sobresalía detrás de la comida. Después, una sinuosa cola de siamesa, una colita anaranjada

y, finalmente, la cola gastada y pelada del gato más vagabundo de entre los felinos vagabundos.

Gaspardon, que odiaba cualquier especie animal, se asustó y se tapó la boca con las manos para ahogar un chillido. El mayordomo, en cambio, se irguió todo lo alto que era mientras gritaba:

–¡Malas bestias! No se preocupe, baronesa, ¡ya me encargo yo!

Quedó bastante claro que Madame Gaspardon no sentía ningún amor especial por los felinos. Moonlight, entonces, hizo un gesto cómplice a sus amigos y todos los gatos saltaron encima del carrito. Pero como las ruedecitas estaban demasiado engrasadas, aquel trasto salió disparado por el comedor y cruzó el pasillo a toda castaña, perseguido por el mayordomo.

–¡Cuidado con las escaleras! –maulló Moonlight. Pero ya era demasiado tarde, el carrito iba

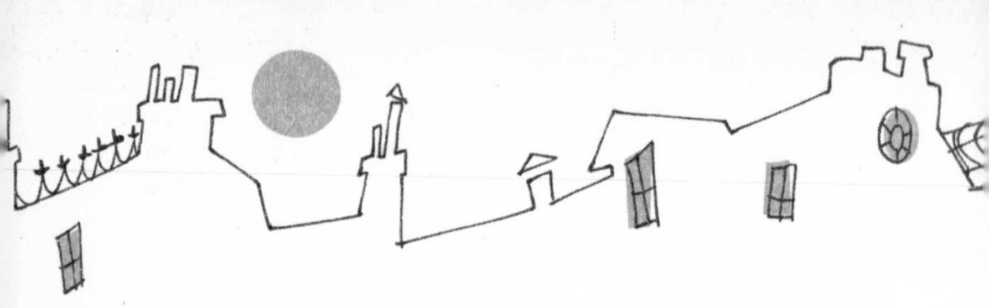

lanzado hacia abajo y las ruedecitas de delante ya estaban suspendidas en el vacío...

«¡Cloc! ¡Cloc! ¡Cloc!», hizo el carrito de la comida, mientras detrás de él iba dejando un

rosario de servilletas, saleros y molinillos de pimienta.

–¡Miaucachis! –chilló Dodó, cuando vio que otro chef subía las escaleras con dos enormes bandejas.

El carrito golpeó de lleno contra la rodilla del cocinero y lo desequilibró hacia atrás. Y los platos llenos de manjares exquisitos comenzaron a dar vueltas en el aire...

–¡AAAH! –gritó el cocinero, rodando escaleras abajo.

«¡Zing!», tintinearon las bandejas, que empezaron a dar vueltas sobre sí mismas.

«Spaff!», sonaron unas deliciosas hamburguesas, que fueron a impactar contra la cara del mayordomo que los perseguía.

Era el momento de huir de allí. Aprovechando el escándalo que se había montado, Moonlight, Josephine y Ponpon saltaron del

carrito y se dirigieron hacia el patio, donde, gracias a una afortunada coincidencia, estaba el ayudante del lechero, que acababa de descargarlo todo y se disponía a marcharse.

Los gatos saltaron al carro uno detrás de otro, mientras el mayordomo salía de la villa enfadado como una mona, con la frente sucia de ketchup y un puñado de patatas fritas sobresaliéndole del cuello de la camisa.

–¡¿Dónde están?! –gritaba–. ¡¿Dónde están esos gatazos?!

–Estamos aquí y fuera de peligro –murmuró Moonlight, riendo por lo bajo–. Todos juntos, sanos y salvos, ¿verdad, Josephine?

–Claro que sí, ¿no, Ponpon?

–Tú dirás, Dodó. ¿Dodó? *¿Dodó?*

Pero el Marsellés no estaba con ellos. ¡Debía de haberse quedado atrás! Y justo en aquel momento el mozo cogió el látigo y le ordenó

al viejo caballo que comenzase a moverse.

–¡No podemos abandonar a Dodó! –afirmó Josephine con convicción–. Moonlight, tenemos que hacer algo...

Pero antes de poder acabar la frase, un gato vagabundo muy familiar salió disparado de la puerta de la villa, le hizo una zancadilla al mayordomo a la altura del tobillo («¡bum!», se oyó cuando el hombre cayó de culo en la grava del jardín) y corrió como un poseso hacia el carro.

–¡Es él! –gritó Ponpon–. ¡Es Dodó!

–Venga, Dodó, sube aquí... ¡Ya casi estás! –lo animó Josephine.

El gato vagabundo no dudó ni un momento: aceleró como un cohete y de un salto se metió dentro del carro. Moonlight se fijó en que algo le sobresalía por ambos lados de la boca.

–¿Qué es eso? –preguntó–. ¿Se puede saber dónde estabas?

–¡Uuuh, qué ajetreo! Solo me he escapado un momentito a la cocina – explicó Dodó, royendo un pedacito de color rosado–. He pasado por donde estaba aquel cocinero japonés, sí, el del sushi. Puede que a la baronesa el pescado crudo no le diga nada... ¡pero yo lo encuentro deeelicioso!

En todas las investigaciones puede suceder que, tarde o temprano, se llegue a un punto muerto. Todas las pistas que se ha intentado seguir no han tenido éxito y el detective ya no sabe qué hacer para resolver el misterio. Todo buen investigador sabe que, cuando se encuentra en una situación como esta, solo se puede hacer una cosa: volver al escenario del crimen. Y comenzar de nuevo.

Fue así como, al llegar a París, los gatos decidieron volver a La Clef d'Or. Necesitaban una nueva pista.

Pero cuando se metieron por el callejón que conducía a la entrada secundaria del restaurante, se encontraron en medio de un ejército de policías.

Moonlight trepó encima de un cubo de basura y les dijo a sus amigos:

–¡Escondeos, deprisa! ¡Huelo a ladrosos!

En mininés, los ladrosos son los perros, porque, a la mínima, se ponen a ladrar y a gruñir, y se consideran (vete a saber por qué) superiores a los gatos... Algo que es notoriamente imposible.

Dodó abrió como un cohete el cubo de la basura (para él, entrar en un cubo era un poco como volver a casa) y metió dentro tanto a Ponpon como a Josephine.

–¡Qué peste! –protestó la siamesa–. ¡Se me ensuciará el pelaje!

El gato vagabundo frunció su ceño peludo:

–¿Pero qué dices? ¡Huele a campo! Y además, ¿no te abre el apetito ver tantas delicias juntas?

En cambio, Moonlight, que había saltado al interior del cubo justo después de los demás, estaba demasiado atareado para seguir aquellas historias. Con la tapa del cubo ligeramente levantada, no había perdido de vista en ningún momento la puerta del restaurante: en un instante determinado vio que esta se abría poco a poco y que salía de él un hombre alto y enjuto, ataviado con una capa y un sombrero hongo. Era el inspector Rampier. Y a sus pies había un ladroso de aspecto antipático, con la boca babeante y una colita recortada. Era Cauchemar, el bulldog del inspector, que odiaba a los gatos al menos tanto como su propietario detestaba a los artistas de Montmartre.

–Hemos hecho un buen trabajo, ¿verdad, Cauchemar? –dijo orgulloso el inspector,

mientras pasaba muy cerca del cubo donde se habían refugiado nuestros amigos.

–¡Guof! –confirmó el ladroso, que, como era un poco corto de entendederas, no sabía francés y no había entendido ni una palabra de lo que le habían dicho.

–Ahora ya lo tengo todo muy claro, qué digo claro: ¡cristalino! –continuó Rampier–. Seguramente han matado al cocinero, y el culpable debe de ser, sin duda, uno de esos artistas muertos de hambre de Montmartre. ¡Por un plato de salchichas, esos gandules son capaces de cualquier cosa!

–Ejem –lo interrumpió un policía joven, que había aparecido de repente–. La verdad, creo que todavía no tenemos pruebas...

El inspector empezó a reírse, y aquel memo de Cauchemar lo imitó con una ráfaga de «arf, arf, arf».

–¡¿Pruebas?! ¿Y a quién le hacen falta las pruebas? Una investigación es un duelo entre mi mente y la del criminal. ¡Por suerte, mi cerebro es mucho, mucho más agudo que el de cualquier delincuente! ¡Estás hablando con el gran inspector Rampier, querido, no lo olvides!

–¿Estáis oyendo a ese gallito? –estalló Dodó, a quien se le habían erizado todos los pelos de la espalda.

–¡Él y su bulldog de pacotilla! –continuó Josephine.

–¡Es un cabeza de chorlito! –remató Ponpon, diciendo también la suya. En realidad, no conocía a Rampier; era la primera vez que lo veía.

Moonlight asintió.

–Tenéis razón, amigos, pero precisamente porque Rampier es un botarate, debemos descubrir lo antes posible dónde está Pierre. Si no, este inspector de pacotilla es capaz de meter

a un inocente en la cárcel únicamente porque no le cae bien.

Los gatos esperaron a que Rampier y su ladroso desapareciesen de su vista junto a los otros policías. Entonces abandonaron su refugio y se dirigieron al restaurante.

Alguien había colgado en la puerta un solemne aviso:

POLICÍA DE PARÍS. ESTA ES LA ESCENA DE UN CRIMEN. QUEDA PROHIBIDA LA ENTRADA.

–¡Han cerrado la puerta con llave! –maulló Josephine.

–¡No te preocupes! –la tranquilizó el pequeño Ponpon como si fuese un experto–. Entraremos por aquella ventanita de allá arriba. No cierra bien del todo... ¡Yo siempre entro por allí cuando vuelvo de echar un vistazo fuera!

Los gatos treparon hasta la ventana y se colaron en la cocina del restaurante. La policía la había armado gorda: por todas partes había pisadas de zapatos y marcas negras de huellas digitales en los inmaculados azulejos de las paredes.

–¡Qué caos! –refunfuñó Dodó–. Será difícil encontrar alguna pista en medio de este desbarajuste... ¡parece mi cuarto en el cubo de la calle Massé! Ahora que me acuerdo: ¿qué os parecería si nos zampásemos el pescado que queda en la despensa? Si dejáramos que se estropease... ¡eso sí que sería un crimen!

–¿Solo piensas en llenarte la barriga? –lo cortó Moonlight–. Venga, echadme una mano, a ver si encontramos alguna pista útil.

Los gatos inspeccionaron la cocina de arriba abajo. Registraron todos los cajones y olisquearon todas las cucharas de madera y las

sartenes... Pero desgraciadamente no sacaron nada en claro. Y como ya era la hora de la cena y estaban muy cansados, no encontraron nada mejor que rescatar uno de los pescaditos de los que hablaba Dodó.

–¡Mmm, está muy bueno! –comentó Josephine, tragándose un trozo y lamiéndose los bigotes–. Aunque ni punto de comparación con los platos que cocinaba Pierre... Sin duda es el mejor chef de Francia.

–Y tanto –confirmó Moonlight–. Mirad

qué cantidad de fotos en las paredes... Premios por aquí y por allá... Distinciones, copas y... un momento.

El gato examinó con mayor atención una fotografía con un marco dorado en el lugar de honor de la pared.

En la foto, en delicados colores sepia, se veía a Pierre Pâté en lo más alto del podio, sonriendo feliz mientras sostenía un trofeo (la placa metálica del marco decía: «Premio de cocina Alcachofa de Oro»).

El chef clasificado en segunda posición sujetaba una copa mucho más pequeña y observaba a Pierre Pâté con una mirada llena de resentimiento y envidia.

–Dime, Ponpon –preguntó Moonlight, pensativo–. ¿No sabrás por casualidad quién es este individuo, el cocinero clasificado en segundo lugar?

–Mmm... ¡Ah, sí! –recordó el gatito–. ¡Es Marcel Guillot, el Rey de la Alcachofa! O al menos así es como se hace llamar. Tiene un restaurante cerca de aquí...

–Ummm –pensó Josephine–. Si Guillot es el Rey de la Alcachofa, debió de quedarse hundido cuando Pierre ganó la Alcachofa de Oro en vez de él...

Dodó asintió con la cabeza, saltó sobre sus patas como hacía siempre que se daba cuenta de algo importante y comentó:

–¡Eh, chicos! ¿Os habéis dado cuenta? Se llama Marcel Guillot... ¿Me seguís? ¡M. G., como las iniciales del pañuelo!

Los gatos comenzaron a maullar todos a la vez: ¡qué intuición! El cocinero Marcel, celoso de su rival, había hecho secuestrar a Pierre para deshacerse de un peligroso competidor.

–Pero nosotros no somos ningunos memos

como el inspector Rampier –replicó Moonlight–. ¡Para acusar a Marcel necesitamos pruebas!

–¡Pues vayamos a buscarlas! –propuso Josephine, decidida–. El restaurante de Guillot está muy cerca de aquí.

Nuestros héroes salieron de la cocina de La Clef d'Or y se metieron por los callejones de Montmartre, siguiendo a Josephine. Ella conocía a la perfección todos los locales del barrio: siempre invitaban a su amalimentadora a las fiestas que se celebraban en los pequeños restaurantes de la zona.

El café restaurante de Marcel se llamaba Le Bon Artichaut, es decir, La Buena Alcachofa.

–Muy original... –comentó Moonlight, alzando la vista hacia el cielo.

Cuando los gatos detectives llegaron allí, ya era de noche y el local había cerrado sus puertas.

Pero, pese a ello, en su interior todavía brillaba una lucecita.

–¡Dejadme a mí! –exclamó Dodó, siempre en primera línea cuando se trataba de forzar cerraduras –. Encontraré la manera de entrar.

El gato vagabundo trepó hasta el alféizar de una ventana, exhibió su uña más afilada y la metió dentro de la cerradura. Se oyó un ligero clic y el cristal se levantó unos centímetros.

–Tú siempre con tantos recursos –comentó Josephine, riendo.

–El que vive en la calle ha de aprender muchos truquillos –presumió Dodó, meneando con orgullo su cola pelada.

Ponpon lo miró admirado: aún tenía un montón de cosas que aprender, si quería llegar a ser un auténtico gato callejero como Dodó.

Los cuatro felinos se introdujeron en el interior del restaurante desierto.

Las mesas ya estaban preparadas para la comida del día siguiente, y la moqueta que cubría el suelo era tan suave que parecía que caminasen por un prado en primavera. Al fondo de la sala principal, una pequeña rendija de luz se filtraba por debajo de la puerta de la cocina.

–¡Por todos los demonios! –gritó una voz–. Tarde o temprano me revelarás tus secretos... ¡Como me llamo Marcel Guillot!

Capítulo 7

Secretos entre fogones

–¡Esta vez hemos acertado, chicos! –exclamó Josephine.

Y, efectivamente, no había dudas. ¡El Rey de la Alcachofa hablaba con su acérrimo rival Pierre Pâté!

Moonlight, que al ser negro como la noche era casi invisible en la penumbra del restaurante, se deslizó hasta la puerta entreabierta, intentando no hacer ruido.

–¡¡Habla, habla!! –insistía mientras tanto Marcel–. ¿De dónde proviene ese sabor tan delicioso? ¿Gracias a la nata? ¿Le echas azafrán por

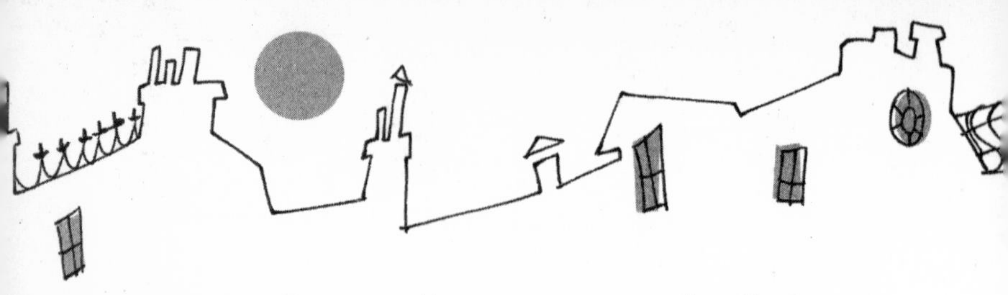

encima? ¿O quizá lleva una pizca de albahaca?

Moonlight asomó su cabecita por la puerta. Y aquello que vio no le gustó.

El chef Marcel destacaba, en medio de la cocina, ataviado con una ancha túnica blanca. Se agitaba y resoplaba como una locomotora con una sartén al fuego delante de él, y en la cabeza llevaba un gorro de cocinero altísimo, que con cada movimiento se balanceaba peligrosamente de un lado a otro.

–¿Tal vez sea el caldo? –gritó el chef–. ¡Una gota más y tu secreto será mío!

Moonlight arrugó el hocico, perplejo. ¿Qué hacía aquel individuo? ¿Estaba torturando al pobre Pierre? ¡¿Con el... caldo?!

El gato aprovechó que Marcel estaba de espaldas para entrar en la cocina del restaurante y verlo mejor.

Allí le esperaba una amarga sorpresa.

Marcel estaba solo. No solo con *Pierre Pâté*, no: solo, completamente solo.

El cocinero hundió un tenedor en la sartén, ensartó un trocito de estofado y se lo llevó a la boca.

–¡Oh, sí, sublime, sublime! –comentó extasiado–. Ahora ya no tienes secretos para mí... *¡querido estofado de ternera a la bretona!* ¡Nadie te había cocinado nunca tan bien! ¡Nadie en toda Francia, por Dios!

Moonlight maulló en voz baja, negando con la cabeza. Nada de secuestros, entonces... ¡Aquel chalado de Marcel hablaba con el estofado! Concentrado en su creación culinaria, charlaba con los trocitos de ternera.

Todo aquello era muy sorprendente.

Justo entonces, un extraño tintineo de campanillas resonó por toda la cocina. «¡Riiing! ¡Riiing! ¡Riiing!».

Provenía de un gran aparato negro colgado en la pared, que Mister Moonlight dedujo que debía de ser un teléfono (en el tiempo en que transcurre nuestra historia hacía poco que se había inventado y aún era una absoluta novedad).

Marcel Guillot bufó, dejó caer el tenedor en la sartén y fue corriendo a contestar.

–¿Diga? Sí, aquí Guillot, el Rey de la Alcachofa. Ah, eres tú, Richard. Cuéntame...

El cocinero prestó atención a ese lado de la línea durante un momento, pero de repente lanzó un puñetazo contra la pared con tanta

fuerza que Mister Moonlight dio un brinco y los pelos se le erizaron como púas.

–¿Qué dices? –gritó Marcel–. ¿Que alguien ha asesinado a Pierre Pâté? ¡¿Precisamente ahora?! ¿No podía esperar ese bribón a pasar a mejor vida? Justamente la semana que viene se celebra el gran concurso de cocina de los Caballeros del Sacro Tenedor, y me moría de ganas de derrotarlo con mi estofado a la bretona con cebolletas caramelizadas... Me he metido de extranjis en su cocina para descubrir sus ingredientes secretos, pero no he encontrado nada de nada; al contrario, ¡incluso he perdido mi pañuelo preferido!

En la oscuridad, Moonlight sacudió la cabeza, pensando en lo sonados que estaban los seres humanos.

–¡No, no, no lo entiendes! –continuó mientras tanto el cocinero–. ¡Hace meses que trabajo para aplastar a ese petardo presumido de Pierre! ¡Con mi estofado le hubiera dejado en ridículo y se vería obligado a cerrar su maldito restaurante! ¡Y ahora resulta que la palma en mi mejor momento! ¡¡¡No puedo aceptarlo!!!

Mientras el chef continuaba gritando al teléfono, con su gorro de cocinero golpeando contra la pared como un martillo, el gato salió tranquilamente de la cocina para ir en busca de sus amigos.

–¿Y entonces qué? –preguntó Josephine.

–¿Alguna novedad? –dijo Dodó.

–¿Qué has visto? –se apresuró Ponpon.

Moonlight condujo a sus amigos fuera del restaurante y, cuando volvieron a estar en la acera, los puso al día de lo que había descubierto.

En el cielo, la luna llena parecía un enorme bol de leche. Pero aunque era muy tarde, ninguno tenía ganas de irse a dormir.

–¡Marramiau, volvemos a estar donde nos encontrábamos al principio! –comentó Josephine con un largo suspiro–. El pañuelo bordado pertenece, pues, a Marcel Guillot, pero él no es el culpable. Entonces, ¿quién puede haber secuestrado a Pierre? ¡Ya hemos examinado dos veces la escena del delito y no hemos encontrado ni una sola pista!

Ponpon se encogió en la acera, desolado.

–Por favor... no os podéis rendir ahora.

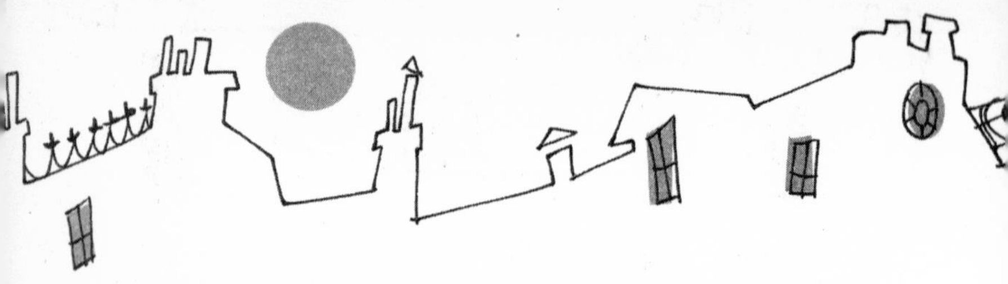

¡Pierre es mi amolimentador! Siempre me da cosas buenas para comer, me rasca detrás de las orejas... ¡No quiero que le pase nada malo!

–Se me ocurre una idea –maulló Dodó, alisándose el pelo.

–¿Cuál? –preguntó Moonlight.

–Podríamos pedir a Tenardier que nos echara una pata...

Los ojos de Josephine, amarillos como faros, brillaron en la oscuridad.

–¡Oh, no! –murmuró la gata–. Tenardier, ese cafre... Y, además, vive en un lugar tan sucio... El desodorante y la colonia ni olerlos, y no hablemos de limpiar el suelo...

–¿A qué sitio te refieres? –preguntó Ponpon, de repente muy interesado.

–¡A las alcantarillas de París! –explicó Moonlight, suspirando. Y dijo a Josephine–: Tienes razón, Tenardier es una mala bestia. Pero su clan

es el que controla todo el tráfico de basura de la ciudad: en París no se tira una sola espina de pescado sin que él lo sepa. Y como no tenemos la más remota idea de dónde está Pierre, vale la pena preguntarle si sabe algo...

Los tres gatos mayores se miraron en silencio, y entonces Dodó se desperezó y murmuró:

–Ya conoces al viejo Tenardier. Querrá que le paguemos la información...

–Llegaremos a un acuerdo –afirmó Moonlight.

En realidad, la idea de entrar en las alcantarillas para encontrarse con aquel viejo canalla tampoco le hacía la más mínima gracia. Pero si querían salvar a su amigo Pierre Pâté no les quedaba otro remedio.

–Entendido, entonces –se rindió Josephine–. Si debemos hacerlo, mejor que no le demos más vueltas. ¿Por dónde se va? ¿Derecha o izquierda?

Dodó rio con malicia, misterioso.

–¡Ni por un lado ni por otro! –respondió decidido–. Iremos...

Y señaló la gran tapa de hierro de las alcantarillas que había en medio de la calle.

–…¡hacia abajo!

Capítulo 8

La banda de las alcantarillas

La calle estaba iluminada por una farola de gas, allí solita en medio de la acera. A su alrededor no se veía nadie.

–Mejor que nos demos prisa –dijo Mister Moonlight. Aunque él era de color oscuro como la boca del lobo, aquello no le gustaba lo más mínimo–. Me muero de ganas de estar en casa, bien calentito en mi cojín.

Los gatos metieron las uñas en las hendiduras de la tapa de las alcantarillas y todos tiraron hacia arriba. La tapa de hierro pesaba mucho, pero poco a poco empezó a moverse.

–Venga, ya estamos... –dijo resoplando Dodó, que maullaba por el esfuerzo.

La tapa se elevó un centímetro, después otro y finalmente se separó lo suficiente para que un gato pudiese meterse en el interior. Sí, pero ¿en el interior de dónde? La tapa daba a un amplio conducto vertical, con paredes de piedra lisa. No había ninguna escalera por la que bajar, y los gatos tampoco hubieran sabido cómo usarlas (porque estaban hechas por los humanos y estos, cuando construían algo, no tenían demasiado en cuenta a las otras especies).

–Quizá sea mejor que lo dejemos correr... –sugirió tímidamente Ponpon.

Dodó sonrió fanfarroneando:

–Confía en mí, gatito, ¿soy o no el vagabundo más listo de todo París? ¡Sigue mi técnica y esto será un juego de gatitos!

Antes de que cualquier otro pudiese añadir

algo, Dodó dio un salto, se agarró con las uñas a una pared del conducto y comenzó a rascarla para frenar su caída.

–¡YUJÚ! –maulló el gato, mientras desaparecía en la oscuridad.

–Oh, oh –comentó Moonlight–. Mejor que lo sigamos. Josephine, las señoritas primero...

La siamesa le hizo una mueca en respuesta, imitó a Dodó y se lanzó túnel abajo. Moonlight se lo pensó un momento, cogió a Ponpon por el cogote y saltó con él.

«¡Escrrriiieeec!», rechinaron las uñas contra la pared de piedra del túnel.

–¡Socorro, socorro! –gritó Ponpon.

Y Moonlight... no dijo nada, porque tenía al pequeño minino entre los dientes.

El túnel se acababa de golpe asomándose al vacío, y ambos salieron proyectados hacia el aire. Hicieron una voltereta en pleno vuelo, y

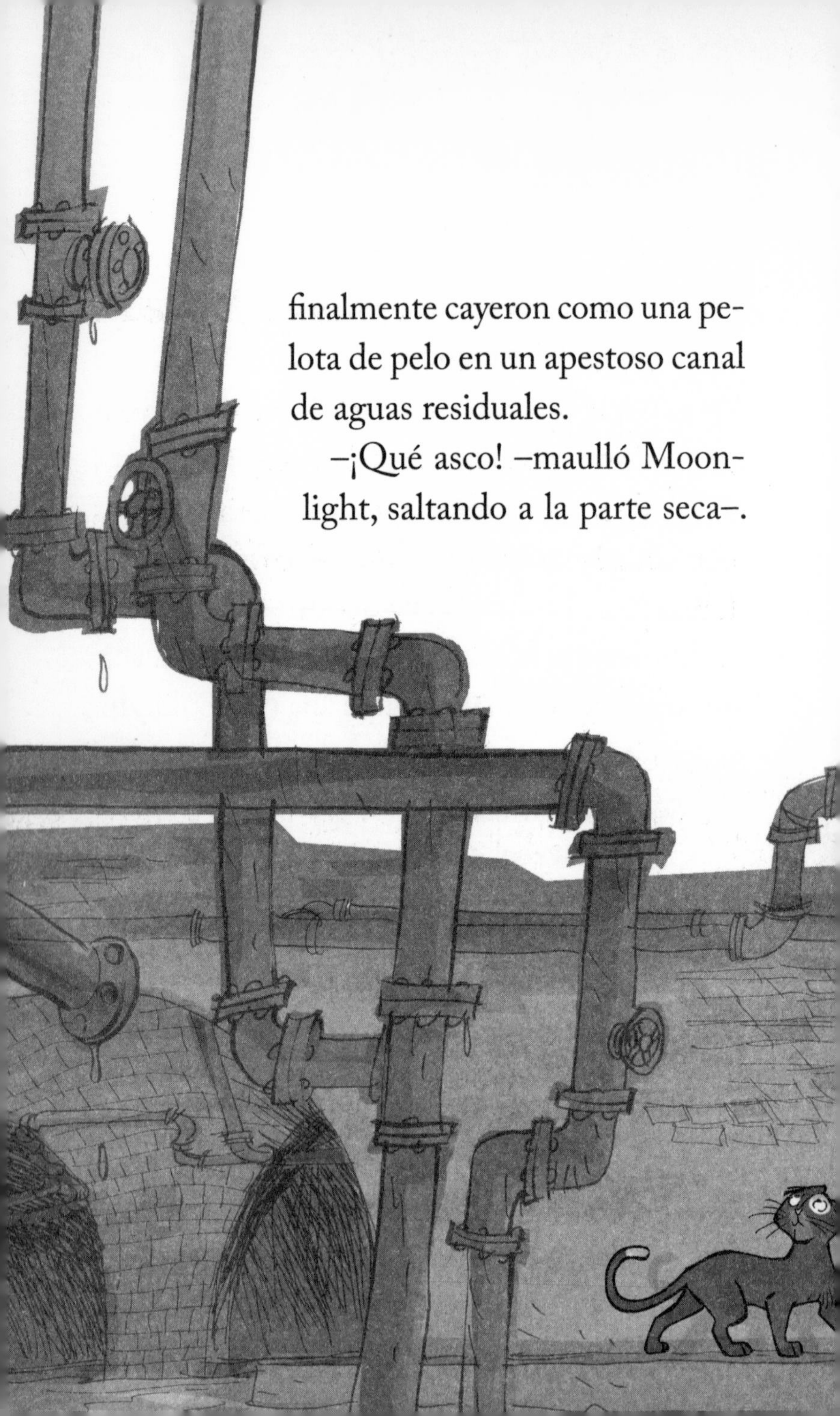

finalmente cayeron como una pelota de pelo en un apestoso canal de aguas residuales.

–¡Qué asco! –maulló Moonlight, saltando a la parte seca–.

Nunca me ha gustado bañarme... ¡Imagínate con agua de alcantarillas!

–¡Y qué pestazo tan horrible! –comentó Josephine, frunciendo su bonito hocico.

Dodó recogió a Ponpon de las fétidas aguas con un gesto ágil, y estalló en una carcajada felina:

–Estamos en las alcantarillas, ¿qué esperabais? ¿Perfume de rosas? ¡Venga, en marcha! ¡Cuanto menos tiempo estemos aquí, será mejor para todos!

El Marsellés se puso en marcha, seguido de cerca por los demás. Se movía con rapidez y seguridad, orientándose por el laberinto del alcantarillado de París como si estuviera en su casa.

De repente, los gatos se toparon con un riachuelo que les cortaba el paso. La corriente era fuerte y arrastraba basura de todo tipo que pasaba a toda velocidad en medio de la oscuridad.

–¿Y ahora qué hacemos? –preguntó Moonlight–. No podemos continuar por aquí.

Dodó guiñó el ojo y se puso a maullar una nota aguda y modulada, como una sirena de los bomberos.

Un momento después, los gatos notaron que algo se movía en el agua del canal.

–¿Quiénes sssois? ¿Qué queréis?

Era una rata. Una inmensa rata de alcantarilla, que nadaba con la barriga sobre una balsa de madera y las patitas remando en la corriente.

Dodó se levantó sobre sus patas y lo saludó con un gesto:

–¡Muévete, rata! ¡Tenemos que ver a Tenardier!

La rata se detuvo, sorprendida. Tenía un hocico puntiagudo y sucio, y unos largos dientes amarillentos.

–¿Y quiénes sssois que queréis hablar con nuessstro jefe?

–Eso no es asunto tuyo, pero ¡mejor que te des prisa si no quieres acabar teniendo problemas! –le advirtió Dodó, mientras mostraba sus brillantes zarpas.

–De acuerdo, de acuerdo –replicó la rata–. Vamos, subid. Pero podríais dejarme al gatito como peaje... Tiene un assspecto tan apetitossso...

Ponpon se puso a temblar de miedo, pero Moonlight y Josephine le guiñaron un ojo. ¡Evidentemente, no iban a dejarlo solo con aquella rataza!

Nuestros amigos saltaron a la balsa, y aquel extraño barquero comenzó a remar en medio de la corriente.

Pocos minutos después, los dejó sobre una playa de piedras blanquecinas. La playa se encontraba en una cueva de piedra con pilas y pilas de basura amontonada, desde latas vacías hasta viejos zapatos rotos, desde verduras podridas hasta conchas de ostras... ¡Vamos, un buen repertorio de porquerías! Allí mismo, a la luz de algunas velas y apoltronado en una vieja

butaca medio hundida, estaba el viejo Tenardier.

Era un cocodrilo de casi diez metros de largo, de enormes mandíbulas y robustas patas. Nadie sabía muy bien qué hacía un cocodrilo en las alcantarillas de París o cómo había llegado allí (en realidad, ni siquiera él mismo lo sabía). Pero, allá abajo, no había tardado en encontrarse cómodo; además era muy miope, por lo que se movía poco y prefería un lugar seguro bajo tierra.

Tenardier no se levantaba casi nunca de su cómoda butaca: desde allí dirigía una banda de temibles ratazas de alcantarilla y se ocupaba de toda clase de asuntos sucios.

–¡Gatos! –exclamó Tenardier cuando los vio, entrecerrando las mandíbulas.

Mister Moonlight dio un paso adelante acompañado de sus amigos.

–Excelencia, gracias por recibirnos. Hemos venido hasta aquí porque necesitamos vuestra ayuda...

El cocodrilo bostezó, y la visión de aquellos dientes puntiagudos hizo poner los pelos de punta a Ponpon, que se enroscó hasta convertirse en una pequeña bola pelosa.

–¡Mi ayuda, bah! –comentó Tenardier–. ¿Por qué todo el mundo solo viene hasta aquí para pedirme favores?

Moonlight le hizo una elegante reverencia.

–Porque sois el rey de las alcantarillas y no pasa nada bajo París sin que lo sepáis. Precisamente por esa razón estamos aquí: han secuestrado a nuestro amigo Pierre Pâté, el cocinero del restaurante La Clef d'Or... ¡Y la policía incluso cree que lo han asesinado!

Al oír esto, Tenardier hizo crujir sus enormes dientes. Nunca le había gustado la policía.

–Ya no sabemos dónde más buscarlo –admitió Moonlight–. Pero quizá alguno de sus ayudantes haya visto algo...

El cocodrilo se mantuvo callado durante un buen rato. A su alrededor, las velas temblaban ligeramente en el ambiente putrefacto de las alcantarillas.

–¡Polnareff! –exclamó a continuación–. ¡Llamadlo ahora mismo!

Entonces se produjo un cierto estrépito, y Moonlight vio de reojo decenas, si no

centenares, de ratas que se movían en la sombra, muy alteradas. Finalmente apareció Polnareff: era una rata bastante viejecita, con los bigotes blancos y el cuerpo rechoncho de quien come mucho y se mueve demasiado poco.

–Dime algo, Polnareff: tú te encargas del restaurante La Clef d'Or, ¿verdad? –preguntó el cocodrilo.

–Sí, señor, sí –contestó aquella rataza, poniéndose firmes con una cierta inquietud–. ¡A sus órdenes, señor!

–¿Sabes si alguien ha secuestrado al cocinero Pierre?

Polnareff meditó durante un buen rato, entrecerrando los ojos.

Cada tarde, la rata se metía en los cubos de la basura de delante del restaurante para prepararse la merienda con los restos y buscar sobras lo bastante buenas para llevárselas al

cocodrilo. Sobre todo buscaba cosas que brillasen, porque a Tenardier le encantaba todo lo que resplandecía.

Aquel mismo miércoles por la tarde, Polnareff había visto cómo una extraña furgoneta se había detenido delante de la entrada posterior del restaurante. De él habían bajado dos sujetos con impermeables, que habían entrado en el restaurante y habían salido con el pobre cocinero sujetándolo por los brazos. Finalmente le habían obligado a subir a la furgoneta y se habían ido de allí a toda velocidad.

Moonlight oyó la explicación sin mover un músculo. Ponpon también había oído un motor aquella tarde, aunque estaba convencido de que se trataba de un coche... Pero se trataba de una furgoneta. Podía ser un detalle importante.

–¿Podrías describírmela? –preguntó Moonlight a Polnareff.

–Sí, claro, me acuerdo muy bien de ella porque era muy extraña: tenía rayas blancas y rojas por todas partes... ¡Exacto! Y unas letras escritas a un lado, pero por desgracia no sé leer.

Moonlight miró hacia Dodó, Josephine y Ponpon. ¡Volvían a tener otra pista!

Tras haberle dado los gatos las gracias, cuando estaban a punto de dar media vuelta para regresar a la balsa, la voz de Tenardier les detuvo.

–Un momento, no tengáis tanta prisa –dijo el cocodrilo–. Os he ayudado, ahora estáis en deuda conmigo. No quiero que me paguéis nada por el momento, pero recordadlo: me debéis un favor.

Josephine tragó saliva, mientras el pequeño Ponpon se refugiaba entre sus patas.

Moonlight se dio cuenta de que se le habían erizado los bigotes de miedo.

Los pillos de la empresa Jambrais

Cuando nuestros amigos salieron de las alcantarillas ya clareaba. París empezaba a despertarse: las tiendas subían sus persianas, los clientes entraban bostezando en los cafés, los hombres de negocios con sombrero se apresuraban camino a su trabajo.

Los gatos, en cambio, estaban muertos de cansancio. Ponpon había acabado durmiéndose y, en el último tramo, Dodó había tenido que cargárselo a la espalda. El ascenso final para salir por la tapa había consumido las últimas energías de los cuatro felinos.

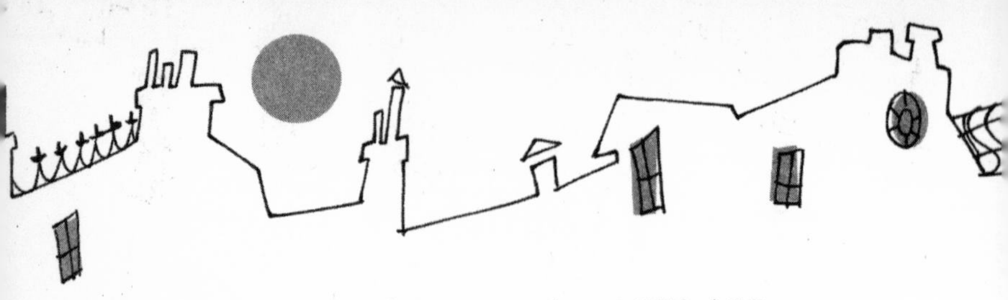

–Yo me iría a dormir, ¿sabéis? UAAH –murmuró Josephine con un gran bostezo.

–¡Ahora no podemos! –contestó Moonlight–. Para secuestrar a Pierre usaron una furgoneta de rayas rojas y blancas. No hay muchos vehículos como este... ¡Debemos seguir esta pista sin falta!

Dodó dejó en el suelo al pequeño Ponpon y se rascó la punta del hocico.

–A mí, las rayas blancas y rojas me recuerdan algo... Es como si las hubiese visto hace poco, pero no te sabría decir dónde...

Los cuatro decidieron descansar un poco y volver a pensar en ello unas horas más tarde.

Pero, desgraciadamente, justo entonces un enorme perro vagabundo apareció por una esquina. Cuando los vio, se lanzó directo contra ellos.

–Oh, no –murmuró Josephine.

–Chicos... ¡PATAS PARA QUÉ OS QUIERO! –gritó Dodó, huyendo a toda prisa.

Los gatos salieron disparados por las calles del barrio y, deslizándose entre las paradas del mercado, que comenzaba a animarse, despistaron al ladroso.

Los cuatro felinos se escondieron en un rinconcito seguro para recuperar el aliento. Todos estaban reventados después de aquel último esfuerzo: solo Dodó tenía los ojos bien abiertos, como si estuviese barruntando algo. ¡Y efectivamente, así era! Aquello de correr como una bala parecía haberle despertado algunos recuerdos...

–Esperad... ¡Esperad! –refunfuñó, frotándose la cabeza con una pata.

Finalmente, cuando sus compañeros de aventuras ya pensaban que se había vuelto loco, Dodó dio un bote.

–¡Claro! ¡Las latas de tripa con salsa Jambrais! ¡Es allí donde vi aquellas rayas blancas y rojas! ¡Había montañas enteras en la carnicería de Armand! Cuando el miércoles estaba vaciando su tienda, Armand me tiró una a la cola mientras escapaba...

Moonlight pensó sobre ello. La fábrica de carne con salsa Jambrais estaba en el barrio de Belleville. Su propietario, François Jambrais, era un famoso industrial que en poco tiempo había barrido a la competencia en el mercado de la carne enlatada. Mister Moonlight lo recordaba perfectamente porque hacía unas semanas que el hombre había aparecido en los periódicos por haber vendido la lata un millón.

¿Quizá Jambrais había intentado convencer a Pierre para que trabajase para él?

–¡Mi amolimentador no aceptaría nunca cocinar carne para enlatar! –afirmó Ponpon,

convencido–. ¡No quiere ni oír hablar de esa carne!

¿Tal vez por esa razón Jambrais le había secuestrado? ¡Sin duda era una pista que debían seguir!

En un santiamén (bien, quizá en algo más de tiempo, porque Belleville estaba lejos y los gatos tuvieron que encontrar la manera de llegar, primero encima del carro del cartero y después en un tranvía), los gatos ya estaban delante de la famosa fábrica. Era un enorme edificio gris con un muro alto que lo rodeaba. La única reja estaba cerrada y vigilada por un guardia, y había dos chimeneas muy altas que escupían un humo oscuro y maloliente.

–¡Qué pestazo! –exclamó Moonlight–. ¿No os recuerda algo? ¡Es el mismo hedor que noté en el restaurante de Pierre poco después de que lo secuestrasen!

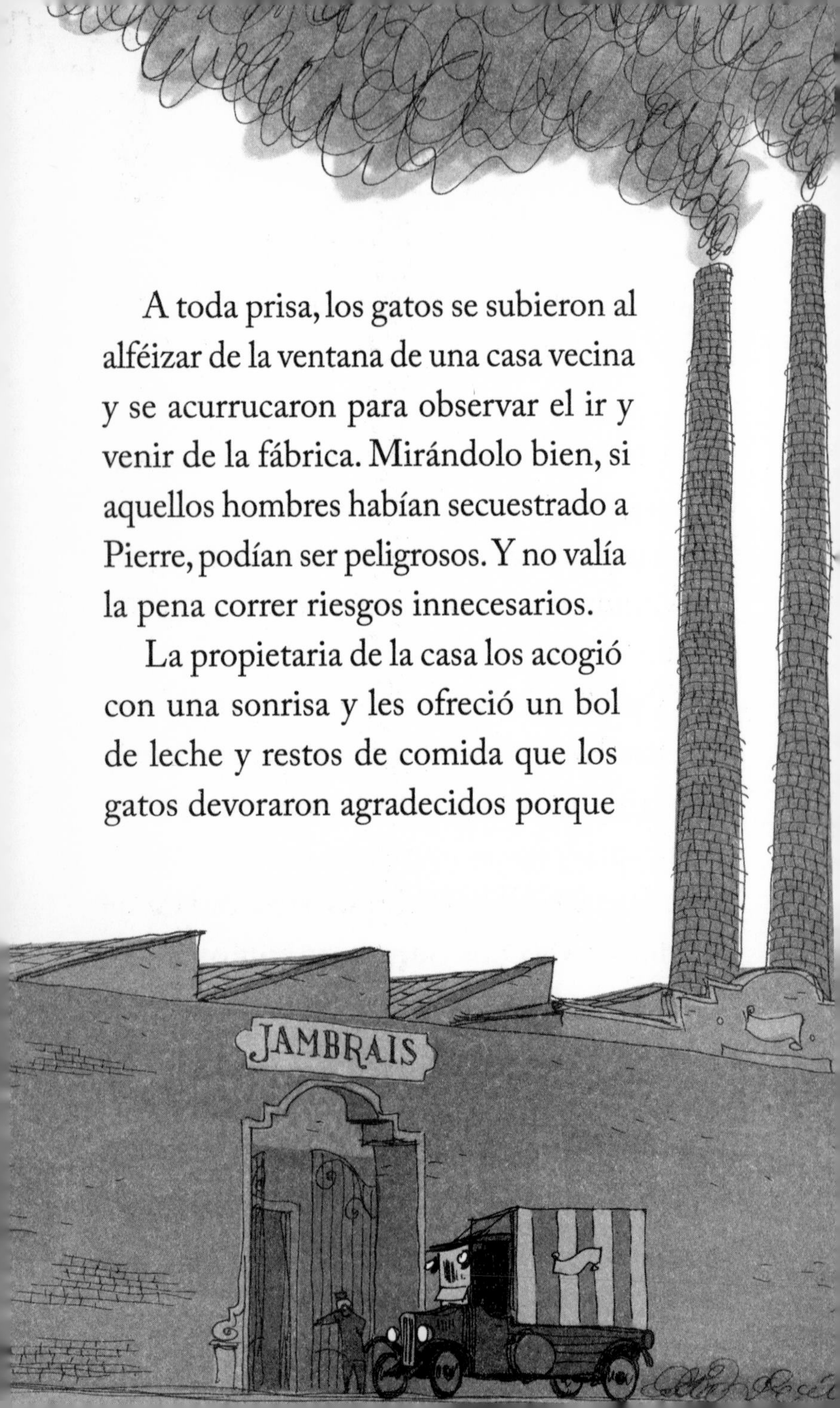

A toda prisa, los gatos se subieron al alféizar de la ventana de una casa vecina y se acurrucaron para observar el ir y venir de la fábrica. Mirándolo bien, si aquellos hombres habían secuestrado a Pierre, podían ser peligrosos. Y no valía la pena correr riesgos innecesarios.

La propietaria de la casa los acogió con una sonrisa y les ofreció un bol de leche y restos de comida que los gatos devoraron agradecidos porque

estaban hambrientos. Más tarde, mientras descansaban al sol, hicieron turnos para vigilar la reja.

Primero llegó un coche negro y alargado, después otro y finalmente una furgoneta... ¡de rayas blancas y rojas!

Moonlight se levantó sobre sus patas y exclamó:

–¡Mirad! Ahora ya no hay ninguna duda. A Pierre lo han secuestrado los hombres de Jambrais. ¡Chicos, es el momento de entrar en acción!

En silencio, los mininos saltaron de la ventana hasta las ramas de un arbolillo reseco. Treparon hasta él, saltaron sobre una farola... y en un santiamén estuvieron subidos en el muro de la fábrica.

–No hagamos ruido –murmuró Mister Moonlight–. Nadie debe vernos.

Él, Josephine, Dodó y el pequeño Ponpon bajaron al suelo y entraron por una puerta secundaria. La fábrica tenía una sola nave con un techo de más de veinte metros de alto. En el centro destacaba una impresionante máquina de hierro, llena de lucecitas, interruptores y manecillas. El aparato zumbaba y echaba humos por todos los lados. A la izquierda, unas enormes calderas llenas de tripa con salsa hervían lentamente (el horrible hedor provenía justamente de allí). Cuando la tripa estaba cocida, una pinza mecánica la depositaba sobre una cinta transportadora que la llevaba a la máquina, encargada de envasarla en latas y cerrarlas herméticamente, de manera que estas ya salían listas para su etiquetado y puesta en venta.

A un lado de la fábrica, una escalera metálica de mano conducía a un pasillo donde

estaban las oficinas, lleno de puertecitas que eran completamente iguales.

Los gatos se deslizaron rápidamente por entre las piernas de los trabajadores. Saltaron sobre una gran palanca de metal que rechinó peligrosamente y después subieron por la escalera hasta llegar a las oficinas.

Pasaron por delante de todas las puertas intentando oír a escondidas, hasta que se detuvieron delante de un despacho con un letrero donde ponía MONSIEUR JAMBRAIS.

–¡No, no y no! ¡Ni hablar! –gritaba una voz en el interior–. ¡El pollo *à la marveille* es mi plato más famoso! ¡No os revelaré nunca la receta, porque lo transformaríais en una horrible comida enlatada!

Se oyó un ruido seco, como de un puñetazo contra una mesa.

–¡No me hagas enfadar más, Pâté! –contestó

otra voz–. Ya lo tenemos todo preparado, haremos incluso publicidad en la radio. El pollo en lata Marveille será el alimento del año, inundaremos las charcuterías... los colmados... las despensas... ¡Y yo me enriqueceré aún más!

–¡Haberme secuestrado no te servirá de nada, Jambrais! ¡Preferiría morir

antes que revelarte mis recetas! –replicó sin ambages el cocinero.

–Eres tozudo como una mula, Pâté, pero acabaré por hacerte cantar...

Los gatos se miraron alarmados. No hacía falta decir qué había pasado: el señor Jambrais había decidido elaborar comida en lata con las recetas de Pierre y, ante la negativa del chef, había mandado que lo secuestraran. Ahora, sin embargo, estaba a punto de pasar a métodos más expeditivos... ¡El amigo cocinero de los gatos tenía un grave problema!

Estos se subieron unos encima de otros e intentaron abrir la puerta de la oficina, pero se dieron cuenta de que estaba cerrada con llave.

–No podemos hacer nada –se rindió Moonlight–. Tenemos que obligar al señor Jambrais a abrir la puerta. Necesitamos algo de astucia felina... Y una maniobra de distracción.

Fue entonces cuando Dodó sonrió.

–De eso me encargo yo –dijo. En maniobras de distracción era único.

El gato vagabundo descendió silenciosamente por la escalera por la que acababan de subir y desapareció entre las máquinas de la fábrica. Al cabo de un instante se oyó un ¡clanc!, después un ¡clonc!, un ¡catacrac! y finalmente un ¡patapum!

Cinco minutos después, Dodó volvió al primer piso con aire tranquilo, meneando su cola pelada como un palo de escoba.

–¿Se puede saber qué has hecho? –le preguntó Moonlight.

El otro se desperezó estirando las patas:

–¿Recordáis aquella palanca junto a la que hemos pasado hace un ratito y que ha hecho ese ruido tan extraño? Bien, me cogido con fuerza de ella y he estirado hacia abajo. He saltado

encima de algunos botones y palancas, y he abierto una válvula. Después he cerrado otra. Y ya puestos, he tirado un bote de pega que alguien se había dejado por allí... Así, aunque se den cuenta del desastre, no habrá manera de arreglarlo.

–Um –maulló Josephine–. ¿Y ahora qué pasará?

La respuesta llegó en unos minutos. Un grito sofocado hizo temblar la sala de máquinas:

–¡Han saboteado la maquinaria! ¡Hay peligro de que explote!

Y luego nadie dijo nada más, porque el aire comenzó a llenarse de un hedor irrespirable y de un humo espeso como la miel, que subía de la planta baja de la fábrica en espirales oscuras y asfixiantes.

–¡Socorro! ¡Auxilio! ¡¡¡Sálvese quien pueda!!!

Los gatos se arrimaron a la barandilla del

pasillo, mirando cómo los empleados salían precipitadamente de las oficinas y huían pies para qué os quiero hacia la salida.

En unos pocos minutos la puerta del despacho de Jambrais también se abrió. Salió un señor gordo, con la cabeza pelada y la nariz de patata, que llevaba un traje elegante y una horrible corbata a rayas blancas y rojas. Era él, el señor Jambrais.

–¡Adelante, felinos! –exclamó Mister Moonlight–. ¡Entremos!

Y los gatos se lanzaron al ataque.

Capítulo 10
Una cena para relamerse los bigotes

El humo se había convertido en una niebla muy espesa y apestosa que lo recubría todo como si fuese mermelada.

El señor Jambrais, asomado a la puerta de su oficina, se sacó del bolsillo un pañuelito y se cubrió la cara con él.

De un salto, Dodó y Moonlight se arrojaron encima de él. El Marsellés se agarró a su chaleco con las uñas y los botones le saltaron uno detrás de otro, volando por los aires. Moonlight, en cambio, apuntó directamente a la cara y le plantó las zarpas en su cabecita pelada.

–¡Aaah! ¡Socorro, *monstruos*! –gritó Jambrais y cayó al suelo, donde empezó a bracear como una tortuga boca arriba.

Josephine y Ponpon aprovecharon la ocasión para meterse a toda prisa en el despacho. Y allí, atado a una silla, vieron a su amigo cocinero, con el pelo despeinado y los ojos abiertos de par en par por el susto.

Pierre tosió y entonces vio que se acercaba el pequeño Ponpon.

–¡Oh, eres tú, gatito! –murmuró–. ¿Cómo me has encontrado? Eres un as, ¿lo sabes?

Ponpon, conmovido, comenzó

a frotarse contra sus tobillos para animarlo. Josephine, sin embargo, no perdió el tiempo y usó sus afiladísimas uñitas para rasgar las cuerdas que inmovilizaban las muñecas de su amigo.

Cuando las cuerdas cayeron al suelo, el cocinero se levantó de un salto y dijo:

–¡Salgamos de aquí!

Tras coger a Josephine en brazos y ayudar a subir a Ponpon sobre uno de sus hombros, salió corriendo de la oficina. Moonlight y Dodó los siguieron: ahora el humo ya estaba por todas partes y el ambiente era tan irrespirable que, si se quedaban allí dentro, ¡se arriesgaban a morir asfixiados!

–Eh, eh, ¿adónde vais? –preguntó el señor Jambrais, que no entendía qué pasaba–. ¿No me dejaréis aquí, verdad?

El magnate de la carne enlatada se levantó

y comenzó a correr también hacia la escalera.

La planta baja de la fábrica estaba inundada de tripa con salsa, que se había derramado de las calderas y había cubierto el suelo de una especie de barro fétido y asqueroso, cuyo nivel continuaba subiendo como una ola con la marea alta.

–¿Has visto qué manitas soy? –comentó Dodó, satisfecho–. Solo he tenido que obstruir el filtro de las calderas, subir al máximo la velocidad del distribuidor de tripa, bloquear el mecanismo de seguridad...

–Estás hecho un auténtico manitas, sí, señor –admitió Moonlight–. ¡Pero ahora debemos encontrar la manera de salir de aquí antes de que sea demasiado tarde! La carne ya ha invadido la escalera... ¡de aquí a poco llegará hasta el techo!

El cocinero Pierre, que lo había oído todo

aunque obviamente no entendía ni una sola palabra de mininés, miró a los gatos que estaban a sus pies y dijo:

–No tengáis miedo, esta vez seré yo quien os salve.

Moonlight y Dodó sacudieron la cabeza: qué valor el de aquel hombre al decir que los salvaría... ¡Después de todos sus esfuerzos para salvarlo a él!

La escalera, sin embargo, ya no se podía utilizar, pues había salsa de tripa por todos lados y los escalones resbalaban a causa del tomate. Solo podían hacer una cosa (¡aunque no era nada agradable!): ¡saltar abajo y nadar en la salsa hasta la salida!

Moonlight fue el primero que se zambulló, seguido de Pierre y después de Dodó.

El señor Jambrais se quedó observándolos desde el pasillo... Porque, a pesar de que había

construido su imperio a partir de la tripa, ¡en realidad la encontraba asquerosa! Pero como no le quedaba otro remedio, finalmente también se decidió a zambullirse.

La salsa estaba caliente y olía de la manera más repulsiva que Moonlight hubiese percibido nunca, hasta el punto que, comparado con aquello, las alcantarillas de Tenardier parecían una perfumería de lujo. El gato consiguió agarrarse a un tablón de madera. En realidad se trataba de una puerta que se había desencajado y ahora parecía una pequeña balsa inmersa en aquel mar de carne. Los otros lo imitaron y, juntos, nadando y empujando, llegaron finalmente a la salida.

Una oleada de tripa se derramó por la calle y, con ella, también los trabajadores de la fábrica, sucios de la cabeza a los pies.

–¡Gatamba, vaya espectáculo, la carne ahora

también sale por las ventanas del primer piso! –comentó Josephine–. ¡Y nosotros parecemos espantapájaros a la boloñesa!

La salsa de tripa salió por las ventanas rompiendo los cristales, se derramó, presionó la muralla del patio y desde allí se desparramó por las calles y por todo el barrio de Belleville.

Estoy seguro de que os podéis imaginar qué sucedió después: llegaron los coches de policía con las sirenas a todo trapo.

El huraño inspector Rampier salió del primer vehículo con el sombrero bien calado en la cabeza... y justo entonces una masa infecta de tripa requemada le embistió de lleno.

El cocinero Pierre, con los ojos fuera de las órbitas y embadurnado de tripa hasta la punta de los bigotes, corrió en busca del inspector y balbuceó:

–Yo... yo... soy el chef Pierre Pâté, y deseo

interponer una denuncia. Me han secuestrado.

–Ejem, ah, usted es el cocinero asesinado –balbuceó Rampier–. Quiero decir, no exactamente, ya que lo tengo aquí, delante de mí. ¿Cómo dice?, ¿que alguien lo ha secuestrado? Ah, sí, ya lo sabía yo eso. Los culpables son esos artistas muertos de hambre de Montmartre, me imagino...

–¡No, no! –lo interrumpió Pierre–. ¡El culpable está aquí! ¡Es el señor Jambrais!

–¡Ah, claro! –dijo rápidamente Rampier–. De hecho, es lo que acabo de decir. Jambrais es un canalla, siempre lo he sabido... ¡Agentes, deténganlo! ¡He resuelto brillantemente también este caso!

Mister Moonlight, Josephine, Dodó y Ponpon asistieron a aquella escena moviendo la cabeza con incredulidad. ¡Aquel inspector de tres al cuarto tenía la cara muy dura!

Finalmente, una vez la historia se aclaró y la normalidad volvió a Belleville, nuestros amigos gatos pudieron volver a casa. Olivier

Bonnet, que había estado muy preocupado por la larga ausencia de Moonlight, le cepilló bien el pelo y le rascó la barriga, e incluso lo dejó descansar durante todo el día en su cojín, cosa que encantó al gato.

Al día siguiente por la tarde, una vez más, Moonlight fue hasta el teatro de l'Élysée Montmartre, esperó a Josephine y a Dodó, y los tres juntos se encaminaron hacia el restaurante La Clef d'Or. Aunque era sábado, el local estaba cerrado. Pierre había decidido reservar aquella noche a unos invitados muy, muy especiales.

Justo al verlos llegar a la puerta trasera, Ponpon salió saltando de la cocina y, contento como unas pascuas, los condujo hasta la puerta principal, que se abrió expresamente para ellos. En el interior del restaurante solo había preparada una mesa, iluminada con un fantástico candelabro de plata y cubierta con

unas servilletas de lino finísimas y unos espléndidos platos de porcelana.

–Por favor, señores –los invitó Pierre, sacando la cabeza desde la cocina–. La cena casi está a punto.

Moonlight, Josephine, Dodó y Ponpon se instalaron en la mesa y se relamieron los bigotes para saborear aquel suculento banquete.

Entonces Dodó estalló en carcajadas y señaló un recorte de periódico colgado en la pared que decía: «¡La gran invasión apestosa: una oleada de tripa con salsa anega Belleville!».

–¡La verdad es que nos lo hemos pasado muy bien! –comentó el Marsellés.

–Claro –confirmó Moonlight–. Toda una aventura... Y que ha acabado de la mejor manera posible, delante de los morros de ese antipático de Rampier.

Pierre salió de la cocina con su uniforme

blanco más elegante y el gorro de chef. Llevaba una bandeja de plata donde había cuatro boles de sopa que desprendían un olorcito como para relamerse los bigotes.

–¿Es bonito esto de reencontrarse con un amigo, verdad? –comentó Moonlight, con aire de satisfacción.

–¡¿Bonito?! ¡Es fantástico! –replicó Dodó–. Pero ¿sabes qué es más fantástico aún? ¡Volver otra vez a cenar gratis cada miércoles por la noche!

Y sin esperar más, metió el hocico en el bol, mientras los otros estallaban en una ruidosa carcajada.

ÍNDICE

LOS AUTORES

Alessandro Gatti nació en Alessandria en 1975, pero ha vivido buena parte de su vida en un pueblecito de Monferrato llamado Calamandrana.

Davide Morosinotto nació en Camposampiero en 1980, pero ha vivido gran parte de su vida en un pueblecito del Véneto llamado Este.

Se conocieron por casualidad y se hicieron amigos. Algo que no resulta extraño, porque a ambos les encanta inventar historias e ir a restaurantes.

Sobre todo en Nueva York. Como podéis imaginaros, también son muy amigos de los gatos: Alessandro porque... Va, intentad imaginarlo, y Davide porque en el pasado trabajó como canguro de gatos.

Alessandro Gatti

Aparte de eso, Alessandro pasa sus días en Turín, inmerso en arduas meditaciones filosó-

Davide Morosinotto

ficas que acaban en profundas siestas.

Davide, en cambio, vive en Bolonia y se pasa el día leyendo y jugando a videojuegos... Pero dice que lo hace por trabajo.

Este es el primer libro infantil que escriben juntos, pero por separado ya han publicado muchos.

Para el Battello a Vapore, Alessandro Gatti ha firmado las series *I Gialli di Vicolo Voltaire* y *Will Moogley. Agenzia Fantasmi*, escrita a cuatro manos con Pierdomenico Baccalario.

Davide Morosinotto debutó ganando el Mondadori Junior Award con la novela *La corsa della bilancia*, y para el Battello a Vapore es autor de la serie *Las Repúblicas Aeronáuticas*, además de coautor de la novela *Maydala Express*.

EL ILUSTRADOR

Stefano Turconi

Stefano Turconi, nacido en 1974, estudió en la Academia de Bellas Artes de Brera, después de acabar el Bachillerato de Arte de Busto Arsizio, y siguió el curso de ilustración y cómic en la Escuela Superior de Artes Aplicadas del Castello Sforzesco y el curso de cómic en la Academia Disney de Milán.

Desde 1997 colabora como dibujante de cómics freelance con Walt Disney Italia creando historias para *Topolino*, *Giovani Marmotte*, *PK*, *MM*, *X-Mickey*, *W.I.T.C.H.*, *Minni* y varias revistas más.

Entre 2000 y 2006 enseñó ilustración en la Escuela del Castello Sforzesco, y cómic en la Academia Disney.

Desde 2007 se encuentra en los quioscos el curso de cómic *Disegnare, scrivere, raccontare il fumetto*, del cual es autor junto con el guionista Alessandro Sisti.

Desde 2005 colabora con muchas editoriales, entre ellas Piemme, EL, De Agostini y Terre di Mezzo.

¿Quién ha secuestrado al rey de la cocina?

París está conmocionada: ¡el gran cocinero Pierre Pâté ha desaparecido! La policía anda desorientada, pero los gatos detectives están dispuestos a resolver el caso. Con habilidad, astucia y una intuición... ¡felina!

Un ladrón muy felino

¿Quién ha robado los preciosos pendientes de la actriz Marie La Belle? Según la policía, se trata de un ladrón fantasma, pero los gatos detectives descubren una pista muy diferente...

Si "Los gatos detectives" te han gustado, quizás también te atrapen estas aventuras de misterio:

1. El enigma del faraón

2. La perla de Bengala

3. La espasa del rey de Escocia

4. Robo en las cataratas del Niágara

5. Asesinato en la torre Eiffel

6. El tesoro de las Bermudas

7. La corona de oro de Venecia

Agatha Mistery

8. Misión safari

9. Intriga en Hollywood

10. Crimen en los fiordos

11. El retrato sin nombre

12. Investigación en Granada

13. Desafío en el Transiberiano

14. A la caza del tesoro en Nueva York

3 1901 03906 5737